A1.1

Sabine Glas-Peters
Elke Koch
Angela Pude
Monika Reimann

MENSCHEN
HIER

Deutsch als Zweitsprache
Arbeitsbuch

Hueber Verlag

4.   3.   2.   Die letzten Ziffern
2020   19   18   17   16   bezeichnen Zahl und Jahr des Druckes.
Alle Drucke dieser Auflage können, da unverändert,
nebeneinander benutzt werden.
1. Auflage
© 2013 Hueber Verlag GmbH & Co. KG, 85737 Ismaning, Deutschland
Umschlaggestaltung: Sieveking · Agentur für Kommunikation, München und Berlin
Zeichnungen: Hueber Verlag/Michael Mantel
Layout und Satz: Sieveking · Agentur für Kommunikation, München und Berlin
Verlagsredaktion: Jutta Orth-Chambah, Marion Kerner, Gisela Wahl, Hueber Verlag, Ismaning
Druck und Bindung: Firmengruppe APPL, aprinta druck GmbH, Wemding
Printed in Germany
ISBN 978–3–19–401901–0

Art. 530_11681_001_02

VORWORT

Das Arbeitsbuch *Menschen hier* dient dem selbstständigen Üben und Vertiefen des Lernstoffs im Kursbuch.

Aufbau einer Lektion:

Basistraining: Vertiefen und Üben von Grammatik, Wortschatz und Redemitteln. Es gibt eine Vielfalt von Übungstypen, u.a. Aufgaben zur Mehrsprachigkeit (Bewusst-machen von Gemeinsamkeiten und Unterschieden zum Englischen und/oder anderen Sprachen) und Aufgaben füreinander (gegenseitiges Erstellen von Aufgaben für die Lernpartnerin / den Lernpartner).

Training Hören, Lesen, Sprechen und Schreiben: Gezieltes Fertigkeitentraining, das unterschiedliche authentische Textsorten und Realien sowie interessante Schreib- und Sprechanlässe umfasst. Diese Abschnitte bereiten gezielt auf die Prüfungen vor und beinhalten Lernstrategien und Lerntipps.

Test: Möglichkeit für die Lernenden, den gelernten Stoff zu testen. Der Selbsttest besteht immer aus den drei Kategorien *Wörter*, *Strukturen* und *Kommunikation*. Je nach Testergebnis stehen im Internet unter *www.hueber.de/menschen-hier/lernen* vertiefende Übungen in drei verschiedenen Schwierigkeitsgraden zur Verfügung.

Lernwortschatz: Der aktiv zu lernende Wortschatz mit Tipps zum Vokabellernen.

Modulseiten:

Im Alltag, In der Familie, Im Beruf greifen die Lernziele des BAMF-Rahmen-curriculums auf und bereiten auf die Prüfung *Deutsch-Test für Zuwanderer* vor. Die Themen orientieren sich an der Lebenswirklichkeit von Zuwanderern und aus-ländischen Beschäftigten.

Wiederholungsstation Wortschatz/Grammatik bietet Wiederholungsübungen zum gesamten Modul.

Training Aussprache übt systematisch Satzintonation, Satzakzent und Wortakzent sowie Einzellaute.

Selbsteinschätzung gibt die Möglichkeit, den Kenntnisstand selbst zu beurteilen.

Piktogramme und Symbole

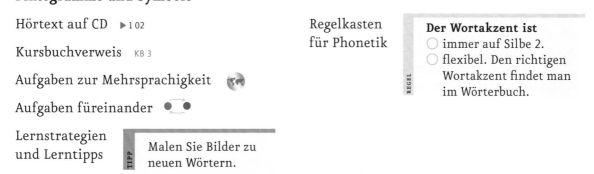

Hörtext auf CD ▶ 1 02

Kursbuchverweis KB 3

Aufgaben zur Mehrsprachigkeit

Aufgaben füreinander

Lernstrategien und Lerntipps

TIPP Malen Sie Bilder zu neuen Wörtern.

Regelkasten für Phonetik

Der Wortakzent ist
○ immer auf Silbe 2.
○ flexibel. Den richtigen Wortakzent findet man im Wörterbuch.

REGEL

Übungen in drei Schwierigkeitsgraden zu den Selbsttests und die Lösungen zu allen Aufgaben im Arbeitsbuch finden Sie im Internet unter *www.hueber.de/menschen-hier/lernen*.

INHALT

Hallo! Ich bin Nicole ...

1 Ordnen Sie zu.

STRUKTUREN

heiße | du | Hallo | heißt | ~~Ich~~ | ich | wer | wie

- ■ Hallo! ~~Ich~~ bin Wiebke. Und _____ bist _____ ?
- ▲ _____ , _____ bin Stefan.

- ■ Ich heiße René. Und _____ _____ du?
- ▲ Ich _____ Alfred.

2 Sortieren Sie.

KOMMUNIKATION

- ○ Ja, ich komme aus Deutschland. Und woher kommst du, Roberto? Aus Portugal?
- ○ Aus Brasilien? Wow!
- ○ Ich heiße Melanie.
- ○ Nein, ich komme aus Brasilien.
- ① Hallo! Ich heiße Roberto, und wer bist du?
- ○ Und woher kommst du? Aus Deutschland?

3 Ordnen Sie zu.

STRUKTUREN

a Wie ——————— bin Pedro.
b Ich heiße ———————— kommst du?
c Woher ———————— aus der Schweiz.
d Ich komme ———————— heißt du?
e Wer ———————— bist du?
f Ich ———————— Sandra.

4 Ergänzen Sie.

STRUKTUREN

a
- ■ Hallo! ~~Ich~~ bin Simon. _____ heißt du?
- ▲ Ich _____ Steffi.
- ■ Und _____ kommst _____ ? Aus Österreich?
- ▲ Nein, ich _____ aus Deutschland.

b
- ■ Hallo! Ich bin Sofia, _____ wer _____ du?
- ▲ _____ heiße Philipp.
- ■ Und woher _____ du?
- ▲ Ich komme _____ der Schweiz.

5 Länder

WÖRTER

a **Welches Land passt? Ordnen Sie zu.** Deutschland | Frankreich | ~~Österreich~~ | die Schweiz | die Türkei

A	B	C	D	E

Brandenburger Tor	Eiffelturm	Stephansdom	Matterhorn	Hagia Sophia
_____	_____	*Österreich*	_____	_____

BASISTRAINING

USA

b Suchen Sie typische Fotos und schreiben Sie die Länder-
namen auf Kärtchen. Ihre Partnerin / Ihr Partner ordnet zu.

KB 6a **6** *du* oder *Sie*?

KOMMUNIKATION

a Ordnen Sie zu.

du: 1, _____   Sie: _____

b *du* oder *Sie*? Ergänzen und vergleichen Sie.

Deutsch	Englisch	Meine Sprache oder andere Sprachen
du	you	
Sie	you	

KB 6a **7** *du* oder *Sie*? Kreuzen Sie an.

KOMMUNIKATION

a Woher kommen ○ du ⊗ Sie,
  Herr Svendson?
b Hallo, ich bin Tine. Und wer bist
  ○ du ○ Sie?

c Kolja, woher kommst ○ du ○ Sie?
d Frau Klein, woher kommen ○ du ○ Sie?
e Woher kommst ○ du, ○ Sie, Shema?

KB 6a **8** Ergänzen Sie.

STRUKTUREN

a ■ Woher komm_st_ du?
  ▲ Ich komm____ aus Spanien. Und du?
  ■ Ich komm____ aus dem Sudan.
b ■ Hallo. Ich heiß____ Maria. Und wie heiß____ du?
  ▲ Ich heiß____ Michael.
c ■ Guten Tag, Frau Matard. Woher komm____ Sie? Aus Frankreich?
  ▲ Nein, ich komm____ aus der Schweiz.

KB 6c **9** Schreiben Sie Sätze zu den Fotos.

STRUKTUREN

Das ist Philipp
Lahm. Er
kommt aus
Deutschland.

Philipp Lahm,
Deutschland

Wolfgang Amadeus
Mozart, Österreich

Prinz Felipe,
Spanien

Martina Hingis,
Schweiz

BASISTRAINING

10 Ergänzen Sie und markieren Sie die Endungen.

	heißen	kommen	sein
ich	heiße		bin
du			
Sie			sind
er/sie			

11 Was ist richtig? Markieren Sie.

a Wer bist / ist / sind das?

b Das bin / sind / ist Frau Wachter.

c Woher komme / kommst / kommen Sie?

d Juan komme / kommst / kommt aus Spanien.

e Woher kommst / kommt / kommen Frau Möller?

12 Wie geht's? Ordnen Sie zu.

Nicht so gut. | Sehr gut, danke. | ~~Auch gut.~~ | Es geht. | Gut, danke.

a ☺☺ _____

b ☺ _Auch gut._

c 🙂 _____

d ☹ _____

13 Ergänzen Sie.

Und wie geht es dir? | Und Ihnen? | ~~Wie geht es Ihnen?~~ | Wie geht's?

a ▲ Guten Tag, Herr Stein! _Wie geht es Ihnen?_

 ■ Gut, danke. _____

 ▲ Auch gut.

b ● Hallo, Svenja! _____

 ■ Sehr gut! _____

 ● Ach, nicht so gut.

14 Welche Namen hören Sie? Notieren Sie.

a _____

b _____

c _____

d _____

15 Begrüßung und Abschied – Markieren Sie und ordnen Sie zu.

ichhalloausneingutentagwoheraufwiedersehenichgutenachtesgehtfraudutschüswiegutenabendheißt

a _____

b _Guten Tag_

c _____

d _____

e _Hallo_

f _____

TRAINING: HÖREN

1 Wie heißt du?

a Ergänzen Sie in den Fragen *wie*, *woher* oder *wer*.

1 ■ *Wie* heißt du?
   ▲ *Mein Name ist Miguel Muñoz.* _____ / ▲ _____

2 ■ _____ kommst du?
   ▲ _____ / ▲ _____

3 ■ Und _____ ist das?
   ▲ _____ / ▲ _____

4 ■ Hallo, Frau Burgos. _____ geht es Ihnen?
   ▲ _____ / ▲ _____

b Ordnen Sie die passenden Antworten in **a** zu.

> Das ist Frau Burgos. | Gut, danke. Und Ihnen? | Aus Spanien. | Das ist Anna Burgos. | Ich heiße
> Miguel. | Ich komme aus Spanien. | ~~Mein Name ist Miguel Muñoz.~~ | Danke, gut.

▶ 1 03–08 ## 2 Hören Sie und kreuzen Sie an.

> **TIPP**
> **Zuerst lesen – dann hören**
> 1. Lesen Sie zuerst die Fragen.
> 2. Hören Sie dann.

a Woher kommt Frau Talipa?

   ○ aus Österreich   ○ aus Spanien   ○ aus Russland

b Wie geht es Laura?

   ○ ☺☺ Sehr gut.   ○ ☺ Gut.   ○ ☺ Es geht.

c Welcher Name passt?

   ○ Alioscha   ○ Aliosha   ○ Aljoscha

d Wie ist der Vorname?

   ○ Martin   ○ Michael   ○ Manuel

e Wer kommt aus Italien?

   ○ Nina   ○ Tanja   ○ Simone

f Wie heißt die Frau?

   ○ Rosa Schumann   ○ Lisa Schumann   ○ Rosa Schubert

TEST

WÖRTER

1 **Was passt zusammen? Ordnen Sie zu.**

Abend | Morgen | Auf | Guten | Nacht | Gute | ~~Guten~~ | Wiedersehen | ~~Tag~~ | Guten

Guten Tag _____   _____   _____

_____   _____

_ / 4 PUNKTE

WÖRTER

2 **Was ist richtig? Kreuzen Sie an.**

- ■ Hallo, wer ⊗ bist ○ kommst du?
- ▲ Ich ○ bin ○ komme Max.
- ■ Und der ○ Familienname ○ Vorname?
- ▲ Wachter.

- ■ ○ Woher ○ Wie kommst du?
- ▲ ○ Aus ○ Aus dem Österreich.
- ■ Und ○ was ○ wie geht es dir?
- ▲ ○ Nein. ○ Sehr gut!

_ / 6 PUNKTE

STRUKTUREN

3 **Ergänzen Sie die Verben in der richtigen Form.**

a
- ■ Wie heißt du? (heißen)
- ▲ Ich _____ Marie. (heißen)
- ■ Und woher _____ du? (kommen)
- ▲ Aus der Schweiz.

b
- ▲ Und wie _____ Sie? (heißen)
- ■ Juana Weinrich.

- ▲ Woher _____ Sie? (kommen)
- ■ Ich _____ aus Deutschland. (kommen)

c
- ▲ Wer _____ du? (sein)
- ■ Ich _____ Paco. (sein)

d
- ▲ Wer _____ das? (sein)
- ■ Frau Delgado. Sie _____ aus Spanien. (kommen)

_ / 9 PUNKTE

KOMMUNIKATION

4 **Ergänzen Sie.**

a
- ■ Hallo Susan, wie geht es dir?
- ▲ _____ . ☺
  Und _____ ? (du)
- ■ _____ . ☺

b
- ■ Guten Morgen, Herr Bux,
  _____ ?
- ▲ _____ . 😌
  Und _____ ? (Sie)
- ■ _____ . ☺☺

_ / 7 PUNKTE

KOMMUNIKATION

5 **Ordnen Sie und schreiben Sie Gespräche.**

Hallo, ich heiße Oborowski. | Ich komme aus Italien, und du? | ~~Ich heiße Johanna.~~ | Sind Sie Frau Rode? | Aus der Türkei. | Wie bitte? Obolanski? | Wie geht's? | Nein, mein Name ist Koch. | Sehr gut. Und dir? | ~~Ich bin Elisa, und du?~~

- ■ Ich bin Elisa, und du?
- ▲ Ich heiße Johanna.

- ■ _____
- ▲ _____
- ■ _____
- ▲ _____

- ■ _____
- ▲ _____

_ / 8 PUNKTE

Wörter	Strukturen	Kommunikation
● 0–5 Punkte	● 0–4 Punkte	● 0–7 Punkte
○ 6–7 Punkte	○ 5–7 Punkte	○ 8–12 Punkte
● 8–10 Punkte	● 8–9 Punkte	● 13–15 Punkte

www.hueber.de/menschen-hier/lernen

LERNWORTSCHATZ

1 Wie heißen die Wörter in Ihrer Sprache? Übersetzen Sie.

Begrüßung und Abschied

Hallo _____

Guten Morgen _____

Guten Tag _____

Guten Abend _____

Gute Nacht _____

Auf Wiedersehen _____

Tschüs _____

Name

Ich heiße / _____
  Ich bin …

Mein Name ist … _____

Das ist … _____

Wer …? _____

Wie …? _____

Personalien

Frau die, -en _____

Herr der, -en _____

Name der, -n _____

Vorname der, -n _____

Familienname _____
  der, -n

Herkunft

Woher …? _____

kommen aus … _____

aus … _____

Länder

Land das, ⁼er _____

Deutschland _____

Österreich _____

Schweiz die _____

Befinden

Wie geht's? _____

sehr gut _____

gut _____

es geht _____

nicht so gut _____

Weitere wichtige Wörter

Alphabet das, -e _____

buchstabieren _____

auch _____

danke _____

ja _____

nein _____

sehr _____

und _____

> **TIPP** Lernen Sie Fragen und Antworten zusammen.
>
> *Wie geht es dir? – Danke, gut.*
> *Wie heißen Sie? – Ich bin …*

2 Welche Wörter möchten Sie noch lernen? Notieren Sie.

_____

_____

_____

_____

_____

_____

Ich bin Journalistin.

1 Berufe

WÖRTER

a Ordnen Sie zu.

Kellnerin | Ärztin | Lehrer | ~~Friseur~~ | Sekretärin | Verkäufer

Friseur _____   _____   _____   _____   _____

b Wie heißen die Berufe auf Deutsch und in Ihrer Sprache? Ergänzen und vergleichen Sie.

Deutsch	Englisch	Meine Sprache oder andere Sprachen
IT-Spezialist	IT specialist	
	architect	
	student	
	secretary	

2 Ordnen Sie zu.

STRUKTUREN

a Ich arbeite als ——— Siemens.
b Frau Stern arbeitet bei eine Ausbildung als Mechatroniker bei Airbus.
c Katharina hat einen Job als Kellnerin.
d Peter macht Ingenieur von Beruf.
e Herr Wagner ist ——— Friseurin.

3 Ordnen Sie zu.

WÖRTER

arbeite | habe | mache | ~~mache~~ | bin | bin

Was machst du beruflich?

a Ich *mache* eine Ausbildung als Krankenschwester.
b Ich _____ Schülerin.
c Ich _____ Verkäuferin von Beruf.

d Ich _____ ein Praktikum bei Vestas.
e Ich _____ als Kellner.
f Ich _____ einen Job als Verkäufer.

4 Ordnen Sie zu.

WÖRTER

geschieden | leben | Single | ~~verheiratet~~ | nicht verheiratet | zwei Kinder

a Stefan und Tanja sind *verheiratet*.
b Sie haben _____.
c Maike und Martin sind _____.
d Maria ist _____.
e Tom und Klara sind _____, aber sie _____ zusammen.

KB 3b **5** **Alles falsch. Was ist richtig?**

STRUKTUREN

Sandra und Stefan, Deutschland, Singles, leben zusammen, Sandra: Kellnerin, Stefan: bei Sany

Das sind Sabine und Michael. Sie kommen aus Österreich. Sie sind verheiratet. Sie leben allein. Sabine arbeitet als Verkäuferin und Michael arbeitet bei Telespeak.

Falsch

Das sind nicht Sabine und Michael.

Sie kommen nicht aus ...

Richtig

Das sind Sandra und Stefan.

_____

KB 3b **6** **Ordnen Sie zu.**

WÖRTER

ich | er | sie | wir | sie

KB 3b **7** **Was ist richtig? Kreuzen Sie an.**

STRUKTUREN

a Svenja und Torben sind verheiratet. ⊗ Sie ◯ Ich haben keine Kinder.
b Herr Peters lebt allein. ◯ Er ◯ Sie ist geschieden.
c Melanie ist Single. ◯ Sie ◯ Ich lebt allein.
d Ich habe zwei Kinder. ◯ Sie ◯ Er heißen Finn und Mika.

KB 3d **8** **Ergänzen Sie und markieren Sie die Endungen.**

STRUKTUREN ENTDECKEN

	machen	leben	wohnen	arbeiten	haben	sein
ich	mache					
du				arbeitest	hast	
er/sie	macht			arbeitet	hat	ist
wir		leben				
ihr			wohnt			
sie/Sie			wohnen			sind

KB 3d **9** **Ergänzen Sie die Verben in der richtigen Form.**

STRUKTUREN

a Was _machst_ (machen) du beruflich?
b Ich _____ (sein) Studentin und _____ (haben) einen Job als Verkäuferin.
c Wo _____ (wohnen) ihr?
d Wir _____ (leben) in Dortmund.
e Wir _____ (sein) verheiratet und _____ (haben) ein Kind.
f Wer _____ (sein) das? – Das _____ (sein) Joachim und Philipp.
g Niklas und Felix _____ (arbeiten) bei Hansebek.

KB 4 **10 Markieren Sie und notieren Sie die Zahlen.**

WÖRTER

neunzehnfünfundachtzigzwanzigsechsunddreißigachtdrei
siebenundsiebzigsechzehnneundreiundzwanzig

19, _____

KB 4 **11 Wie ist die Telefonnummer? Hören Sie und kreuzen Sie an.**

▶1 09

WÖRTER

a ○ 030 / 52 79 91 36   ○ 030 / 52 79 91 63
b ○ 0171 / 85 67 03 25   ○ 0171 / 58 67 02 25
c ○ 06391 / 32 44 67   ○ 06391 / 32 44 57
d ○ 08233 / 25 38 57   ○ 08233 / 52 36 59

KB 5 **12 Rechenaufgaben**

WÖRTER

*Fünfzehn und
siebenunddreißig
ist …*

a Lesen Sie laut und ergänzen Sie.

a fünfzehn + siebenunddreißig = _____
b sechsundfünfzig + acht = _____
c dreiunddreißig + neun = _____
d fünfundzwanzig + siebenundsechzig = _____

b Schreiben Sie eigene Aufgaben wie in **a** und tauschen Sie mit Ihrer Partnerin /
Ihrem Partner.

KB 7 **13 Lesen Sie das Porträt und beantworten Sie die Fragen.**

LESEN

Ich heiße Teresa Pereira und komme aus Portugal. Jetzt lebe ich in Ham-
burg. Ich bin Lehrerin von Beruf, aber momentan habe ich einen Job als
Verkäuferin. Ich bin nicht verheiratet, aber ich lebe mit meinem Partner
zusammen. Er heißt Stefan und ist jetzt arbeitslos. Wir haben ein Kind.
Patricia ist schon drei Jahre alt.

a Was ist Teresa Pereira von Beruf? _____
b Als was arbeitet Teresa jetzt? _____
c Was macht Stefan beruflich? _____
d Sind Teresa und Stefan verheiratet? *Nein, …* _____
e Haben Teresa und Stefan zwei Kinder? *Nein, …* _____
f Wo wohnen Teresa und Stefan? _____
g Wie alt ist Patricia? _____

TRAINING: LESEN

1 **Angaben zur Person. Was passt zusammen? Verbinden Sie.**

Was studieren Sie?   Alter
Sind Sie verheiratet?   Herkunft
Wie alt sind Sie?   Ausbildung
Was machen Sie beruflich?   Familienstand
Wie heißen Sie?   Name
Woher kommen Sie?   Beruf

2 **Lesen Sie die Texte und ergänzen Sie die Steckbriefe.**

> TIPP
> Lesen Sie zuerst die Aufgabe genau. Markieren Sie dann die wichtigen Stellen im Text.

STECKBRIEF 1

Name: Danuta
Alter: _____
Herkunft: _____
Beruf: macht eine Ausbildung als Krankenschwester
Arbeitgeber: _ _ _
Familienstand: _____
Kinder: _____

STECKBRIEF 2

Name: _____
Alter: _____
Herkunft: _____
Beruf: _____
Arbeitgeber: _____
Familienstand: _____
Kinder: keine

STECKBRIEF 3

Name: _____
Alter: _____
Herkunft: Serbien
Beruf: _____
Arbeitgeber: _____
Familienstand: _____
Kinder: _____

STECKBRIEF 4

Name: _____
Alter: _____
Herkunft: _____
Beruf: _____
Arbeitgeber: arbeitslos
Familienstand: _____
Kinder: keine

1   Das ist Danuta. Sie ist 24 Jahre alt und macht eine Ausbildung als Krankenschwester. Sie lebt in Berlin, aber sie kommt aus Polen. Danuta ist geschieden und hat ein Kind.

2   Frank ist 28 Jahre alt und kommt aus Österreich. Er ist verheiratet und arbeitet als Ingenieur bei BMW. Jetzt lebt er schon zwei Jahre in München.

3   Das ist Dragan. Er ist 37 Jahre alt und kommt aus Serbien. Dragan lebt in Zürich und arbeitet als Verkäufer bei „ElektroMania". Er ist verheiratet und hat drei Kinder.

4   Sorina ist 32. Sie kommt aus Rumänien und lebt schon zwei Jahre in Hannover. Sorina ist nicht verheiratet, sie lebt allein. Sie ist Lehrerin von Beruf, aber jetzt ist sie arbeitslos.

TEST _____

1 Ordnen Sie zu.

Alter | Wohnort | Beruf | Herkunft | ~~Name~~ | Arbeitgeber | Familienstand

a _Name_   Maria Oberhuber   e _____   verheiratet
b _____   83026 Rosenheim   f _____   Lehrerin
c _____   Deutschland   g _____   „Sprachschule
d _____   33 Jahre   Rosenheim"

_ / 6 PUNKTE

2 Ergänzen Sie die Zahlen.

a neunundneunzig   _99_   d fünfzehn   _____
b vierundfünfzig   _____   e fünfzig   _____
c fünfundvierzig   _____

_ / 4 PUNKTE

3 Wie heißen die Berufe?

Kran | cha | Kell | tin | schwes | ter | Stu | ~~rin~~ | ni | ne | ~~fe~~ | ken | Me | ~~käu~~ | ker | rin | den | ~~Ver~~ | tro

a _Verkäuferin_ b _____   c _____   d _____   e _____   _ / 4 PUNKTE

4 Ergänzen Sie.

a ■ Wo _studiert_ (studieren) er?
In Hamburg?
▲ _Nein, er studiert nicht in Hamburg._

b ■ Alina und Rainer, wo _____
(wohnen) ihr? In München?
▲ Ja, _____ .

c ■ Wie alt _____ (sein) Sie? 35?
▲ Nein, ich _____ .

d ■ Wo _____ (arbeiten)
du? Bei Siemens?
▲ Ja, ich _____ .

e ■ Woher _____ (kommen) Sinem
und Selina? Aus der Schweiz?
▲ Nein, sie _____

_____ .

_ / 8 PUNKTE

5 Welche Antwort passt? Kreuzen Sie an.

a ■ Wo arbeitest du?
    ○ ▲ Als IT-Spezialist.
    ○ ▲ Bei EASY COMPUTER.

b ■ Und woher kommen Sie?
    ○ ▲ Aus Frankreich.
    ○ ▲ In Frankreich.

c ■ Was machen Sie gerade?
    ○ ▲ Ich glaube, sie macht eine
        Ausbildung als Friseurin.
    ○ ▲ Ich mache eine Ausbildung
        als Friseurin.

d ■ Wie alt sind die Kinder?
    ○ ▲ Zwei, drei und fünf.
    ○ ▲ Sie ist zehn.

e ■ Wo arbeiten Sie?
    ○ ▲ In Frankfurt.
    ○ ▲ Aus Frankfurt.

_ / 5 PUNKTE

Wörter		Strukturen		Kommunikation	
●	0–7 Punkte	●	0–4 Punkte	●	0–2 Punkte
●	8–11 Punkte	●	5–6 Punkte	●	3 Punkte
●	12–14 Punkte	●	7–8 Punkte	●	4–5 Punkte

www.hueber.de/menschen-hier/lernen

LERNWORTSCHATZ

1 Wie heißen die Wörter in Ihrer Sprache? Übersetzen Sie.

Arbeit und Ausbildung

Arbeitgeber der, - _____
Ausbildung die,
 -en _____
Beruf der, -e _____
Hochschule die, _____
 -n / Universität die, -en
Job der, -s _____
Praktikum das,
 Praktika _____
Schule die, -n _____
Stelle die, -n _____

arbeiten als/bei ... _____
studieren _____

arbeitslos _____
von Beruf _____

Was ...? _____

Berufe

Architekt der, -en _____
Arzt der, ⸚e _____
Friseur der, -e _____
Ingenieur der, -e _____
Journalist der, -en _____
Kellner der, - _____
Krankenschwester
 die, -n _____
Lehrer der, - _____
Maler der, - _____
Mechatroniker
 der, - _____
Schauspieler der, - _____
Student der, -en _____
Schüler der, - _____
Sekretär der, -e _____
Verkäufer der, - _____

Persönliches

Alter das _____
Familienstand
 der _____
Jahr das, -e _____
 ... Jahre alt sein _____
Kind das, -er _____

leben
 allein leben _____
 zusammenleben _____
wohnen in _____

geschieden _____
verheiratet _____

in _____
Wo ...? _____

Weitere wichtige Wörter

glauben _____
haben _____
machen _____

richtig _____
falsch _____
super _____

aber _____
kein- _____
nicht _____

> **TIPP**
> Schreiben Sie neue
> Wörter und Beispielsätze
> auf Kärtchen.

leben
Wir leben in
Deutschland.

arbeiten
Ich arbeite nicht.

2 Welche Wörter möchten Sie noch lernen? Notieren Sie.

_____
_____
_____
_____

Das ist meine Mutter.

KB 3 **1 Was passt? Kreuzen Sie an.**

STRUKTUREN

a Ist das ⊗ dein ○ deine Vater?
b Ja, das ist ○ mein ○ meine Vater.
c Und das? Ist das ○ dein ○ deine Oma?
d Nein, das ist nicht ○ mein ○ meine Oma.
   Das ist ○ mein ○ meine Mutter.
e Das hier ist ○ mein ○ meine Oma.
f Und das ist ○ mein ○ meine Opa.

KB 4 **2 Ordnen Sie zu.**

STRUKTUREN

~~Bist du verheiratet?~~ | Wer ist das? | Ist das dein Mann? |
Das sind meine Eltern. | Wie heißt deine Schwester? |
Ist deine Schwester verheiratet? | ~~Mein Opa lebt in Spanien.~~ |
Meine Schwester hat zwei Kinder. | Was ist deine Mutter von
Beruf? | Hast du Kinder?

Ja/Nein-Fragen
Bist du verheiratet?

W-Fragen/Aussagen
Mein Opa lebt in Spanien.

KB 4 **3 Schreiben Sie Sätze.**

STRUKTUREN

a wer / das / ist <u>Wer ist das?</u>
b das / Frau / ist / deine _____?
c das / nein / Schwester / ist / meine _____.
d verheiratet / du / bist _____?
e geschieden / nicht / bin / ich _____.

KB 4 **4 Aussagen und Fragen**
Machen Sie Übungen wie in 3. Ihre Partnerin / Ihr Partner schreibt Sätze.

KB 5 **5 Kreuzen Sie an.**

KOMMUNIKATION

	☺	☹
a Ist Lisa geschieden?	⊗ Ja.	○ Nein.
b Sind das deine Kinder?	○ Ja.	○ Nein.
c Vroni ist nicht verheiratet.	○ Doch.	○ Nein.
d Roberto kommt nicht aus Spanien.	○ Doch.	○ Nein.

KB 5 **6 Ergänzen Sie ja, nein oder doch.**

KOMMUNIKATION

a Ist deine Schwester verheiratet? _Ja_, meine Schwester ist verheiratet.
b Leben deine Eltern in Kiel? _____, meine Eltern leben nicht in Kiel.
c Du studierst nicht, oder? _____, ich studiere Physik.
d Deine Schwester ist auch Ärztin, oder? _____, sie ist auch Ärztin.
e Deine Frau heißt nicht Sandra, oder? _____, sie heißt Sandra.

KB 6

WÖRTER

7 Ordnen Sie zu.

Schwester | Vater | ~~Sohn~~ | Opa | Enkelin | (Ehe-)Frau | Großvater

♂	♀	♂	♀
Sohn	Tochter	(Ehe-)Mann	_____
Bruder	_____	Enkel	_____
_____	Mutter	_____	Oma
			Großmutter

KB 6

WÖRTER

8 Silbenrätsel. Ergänzen Sie.

~~der~~ | el | el | groß | ~~kin~~ | schwes | tern | tern | tern

a   Meine _Kinder_ auf Sylt.
b   Meine _____ in den Alpen.

c   Meine _____ bei der goldenen Hochzeit.
d   Ich und meine _____ in Paris.

KB 6

STRUKTUREN

9 Ordnen Sie zu.

dein | ~~deine~~ | mein | mein | mein | meine | meine

■   Sind das _deine_ (a) Kinder auf dem Bild?
▲   Ja, das sind _____ (b) Kinder. Das hier ist _____ (c) Tochter Leonie und
    das hier ist _____ (d) Sohn Torben. Und hier ist _____ (e) Bruder.
■   Was macht _____ (f) Bruder?
▲   _____ (g) Bruder lebt in Berlin und arbeitet als IT-Spezialist.

KB 7

STRUKTUREN

10 Familienrätsel. Ergänzen Sie und beantworten Sie die Fragen.

Meine Schwester heißt _____. Sie arbeitet
als Krankenschwester in Berlin. _____ Eltern leben
in Konstanz. _____ Vater Georg ist Ingenieur und
_____ Mutter ist Lehrerin, genau wie mein Opa.
_____ Oma Karen arbeitet nicht mehr, sie ist
Rentnerin. _____ Großeltern leben in Österreich.
Genau wie ich.

Karen ∞ Dieter

Carla ∞ Georg

Jeanette   Marius

a   Wie heiße ich? _____
b   Wie heißt meine Mutter? _____
c   Wie heißt mein Opa? _____

BASISTRAINING

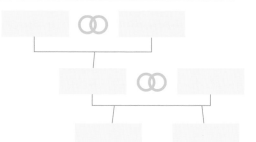

KB 7 **11** **Meine Familie. Ergänzen Sie den Stammbaum und schreiben Sie einen Text wie in 10.**

SCHREIBEN

Mein Bruder heißt Alfred. Er arbeitet bei ...

KB 7 **12** **Ordnen Sie zu, ergänzen und vergleichen Sie.**

WÖRTER

Freund | ~~Kollege~~ | Student | Partnerin | Ärztin

Deutsch ♂	Deutsch ♀	Englisch ♂ und ♀	Meine Sprache oder andere Sprachen ♂	Meine Sprache oder andere Sprachen ♀
Kollege	Kollegin	colleague		
Partner		partner		
	Freundin	friend		
Arzt		doctor		
	Studentin	student		

KB 9 **13** **Was spricht man wo? Notieren Sie.**

WÖRTER

~~deutsch~~ | eng | fran | kisch | lisch | nisch | rus | sisch | sisch | spa | tür | zö

	Land	**Sprache**		**Land**	**Sprache**
a	Österreich	*Deutsch*	d	Frankreich	
b	England		e	Türkei	
c	Spanien		f	Russland	

KB 9 **14** **Ergänzen Sie.**

STRUKTUREN

	kommen	sprechen (e→i)
ich		
du	*kommst*	*sprichst*
er/sie		
wir		
ihr		
sie/Sie		

KB 9 **15** **Ergänzen Sie die Verben.**

STRUKTUREN

a ■ Welche Sprachen *sprichst* du?
   ▲ Ich _____ Deutsch und Englisch.
b ■ Wie viele Sprachen _____ Sie?
   ▲ Drei: Englisch, Französisch und Spanisch.
c ■ Woher _____ ihr?
   ▲ Wir _____ aus der Schweiz.

d ■ _____ ihr Arabisch?
   ▲ Ja, und Deutsch.
e ■ Wo _____ Sie?
   ▲ Wir _____ in Köln.
f ■ _____ Sie Kinder?
   ▲ Ja, wir _____ zwei Kinder.
g ■ Das _____ meine Kinder.
   Sie _____ Tim und Tomma.

TRAINING: SPRECHEN

1 Sich vorstellen

a Welche Sätze passen zu den
Fragen? Ordnen Sie zu.

Ich heiße …
Ich arbeite bei …
Ich spreche …
Ich bin … Jahre alt.
Ich bin verheiratet.

Ich bin … von Beruf.
Ich habe zwei Kinder.
Ich wohne in …
Ich komme aus …
Ich arbeite als …

Name? _____
Land? _____
Wohnort? _____
Sprachen? _____
Alter? _____
Familienstand? _____
Kinder? _____
Beruf? _____
Arbeitgeber? _____

b Das bin ich! Notieren Sie mindestens fünf Sätze.

Ich heiße Anne.
Ich komme aus … und ich wohne in …

> **TIPP** Lernen Sie Sätze zu Ihrer Person auswendig.
> Sie helfen beim Small Talk.

2 Eine Person vorstellen

a Notieren Sie die Fragen.

	Frage	Meine Partnerin / Mein Partner
Name?	Wie heißt du?	
Land?	Woher …?	
Wohnort?		
Sprachen?		
Alter?		
Familienstand?		
Kinder?		
Beruf?		
Arbeitgeber?		

b Partnerinterview: Fragen Sie Ihre Partnerin / Ihren Partner und notieren Sie die Antworten.

c Stellen Sie Ihre Partnerin / Ihren Partner vor.

WÖRTER

1 Familie. Ergänzen Sie.

Eltern:	Vater und _____
_____	_____ und Schwester
Kinder:	Sohn und _____
_____	_Oma_ / Opa und Großmutter / _____
Enkelkinder:	Enkel und _____

_/ 7 PUNKTE

STRUKTUREN

2 Schreiben Sie die Fragen.

a Thea / ist / deine Tochter   _Ist Thea deine Tochter?_

b sprechen / welche Sprachen / deine Kinder _____ ?

c ist / dein / Vater / das _____ ?

d verheiratet / bist / du _____ ?

e wo / du / wohnst _____ ?   _/ 4 PUNKTE

STRUKTUREN

3 Beantworten Sie die Fragen aus Aufgabe 2.

a _Ja, Thea ist meine Tochter._

b _____ Französisch, Englisch und Deutsch.

c Ja, das _____ .

d Nein, ich_____ .

e _____ in Stuttgart.   _/ 4 PUNKTE

STRUKTUREN

4 Ergänzen Sie mein-/dein-.

Hallo Eduardo,

wie geht's? Ich bin jetzt in Deutschland, in Bremen. Hier wohnt _____ Bruder.

Ich mache hier ein Praktikum. _____ Kollegen sind super. Wie geht es Dir?

Was machen _____ Frau und _____ Sohn?

Tschüs

Anna

_/ 4 PUNKTE

KOMMUNIKATION

5 Ja, nein oder doch? Schreiben Sie die Antworten.

a Hannah ist nicht deine Tochter, oder? + _Doch, Hannah ist meine Tochter._

b Sprichst du Spanisch? + _____

c Du bist nicht verheiratet, oder? − _____

d Ist Frau Duate deine Lehrerin? − _____

e Du arbeitest nicht in Österreich, oder? + _____

_/ 4 PUNKTE

Wörter	Strukturen	Kommunikation
⬤ 0–3 Punkte	⬤ 0–6 Punkte	⬤ 0–2 Punkte
◯ 4–5 Punkte	◯ 7–9 Punkte	◯ 3 Punkte
⬤ 6–7 Punkte	⬤ 10–12 Punkte	⬤ 4 Punkte

www.hueber.de/menschen-hier/lernen

LERNWORTSCHATZ

1 Wie heißen die Wörter in Ihrer Sprache? Übersetzen Sie.

Familie

Familie die, -n _____

Vater der, ʺ _____

Mutter die, ʺ _____

Eltern (Pl.) _____

Sohn der, ʺe _____

Tochter die, ʺ _____

Großvater der, ʺ /
  Opa der, -s _____

Großmutter die, ʺ /
  Oma die, -s _____

Großeltern (Pl.) _____

Enkelin die, -nen _____

Enkel der, - _____

Bruder der, ʺ _____

Schwester die, -n _____

Geschwister (Pl.) _____

(Ehe-)Mann der, ʺer _____

(Ehe-)Frau die, -en _____

Sprachen

Sprache die, -n _____

sprechen,
  du sprichst,
  er spricht _____

Deutsch _____

Welche ...? _____

Wie viele ...? _____

Weitere wichtige Wörter

Bild das, -er _____

Freund der, -e _____

Kollege der, -n _____

Partner der, - _____

ja _____

nein _____

doch _____

ein bisschen _____

bitte _____

genau _____

mein _____

dein _____

> **TIPP**
> Notieren Sie Verben
> mit Vokalwechsel so:
>
> ich spreche
> du sprichst
> sie/er spricht

2 Welche Wörter möchten Sie noch lernen? Notieren Sie.

_____

_____

_____

_____

_____

_____

_____

_____

_____

_____

_____

_____

_____

_____

IM ALLTAG „Sie" oder „du"?

1 **Was passt? Ordnen Sie zu.**

a Hallo, Melanie, _____ 1 Herr Torrini?
b Guten Tag, Frau März, _____ 2 Martin?
c Was bist du von Beruf, 2,6 3 wie geht es dir?
d Haben Sie Kinder, _____ 4 wie geht es Ihnen?
e Wie alt bist du,   _____ 5 Frau Gomez?
f Sind Sie verheiratet, _____ 6 Sandra?

2 **„Sie" oder „du"? Was meinen Sie? Notieren Sie.**

1 Sie   2 _____   3 _____   4 _____

▶ 1 10–13 **3** **Hören Sie die Gespräche und ordnen Sie die Bilder aus 2 zu.**

Gespräch	A	B	C	D
Bild				

▶ 1 10–13 **4** **Ordnen Sie zu. Hören Sie dann noch einmal und vergleichen Sie.**

> Wie geht es dir? | Was sind Sie von Beruf, Frau Stoyanova? | Und welche Sprachen sprichst du? | Ich verstehe Sie nicht. | Und wo wohnen Sie? | Ich komme aus der Schweiz, aus Zürich. | Ach, nicht so gut. | Bitte, wo ist die Einstein-Schule?

a ■ _____
 ▲ Ich bin Verkäuferin.
 ■ _____
 ▲ Ich wohne in der Schlüterstraße 21.

b ● Entschuldigung. Bitte, wo ist die
  Einstein-Schule?
 ▲ Wie bitte? _Ich verstehe Sie nicht._
 ● Die Einstein-Schule.
 _____
 ▲ Ach so, die Einstein-Schule, ...

c ■ Und woher kommst du, Antonia?
 ▲ Aus Spanien. Und du?
 ■ _____
  _____
 ▲ Ah, aus der Schweiz.
  _____
  _____
 ■ Deutsch, Englisch und ein bisschen
  Französisch ...

d ● Hallo, Metin.
 ▲ Hallo, Chris. _____
 ● Sehr gut. Und dir?
 ▲ _____
 ...

KOMMUNIKATION
Entschuldigung.
 Entschuldigung, wo ist ...?
verstehen
Wie bitte?
 Wie bitte? Ich verstehe Sie nicht.

▶1 14 **1** **Welche Sprachen sprechen Sie?**

a Wo ist Herr Bousaid? Hören Sie und kreuzen Sie an.

○ bei der Arbeit   ○ in der Sprachschule   ○ bei der Polizei

b Hören Sie noch einmal und ergänzen Sie das Formular.

Name: Bousaid
Vorname: Driss
Adresse: Stephanstr. 5, 10559 Berlin
Beruf: Koch
Herkunft: _____
Muttersprache: _____
Fremdsprache(n): _____

2 **Meine Muttersprache ist ...**

a Ergänzen Sie das Formular mit Ihren Angaben.

b Gehen Sie durch den Kursraum. Fragen Sie
die anderen Teilnehmerinnen / Teilnehmer.

- ■ Welche Fremdsprachen sprechen Sie /
  sprichst du?
- ● Ich spreche ...
- ▲ Was ist Ihre/deine Muttersprache?
- ▦ Meine Muttersprache ist ...
- ▼ Welche Fremdsprache lernen Sie / lernst du?
- ■ Ich ...

Name: _____
Vorname: _____
Adresse: _____
Beruf: _____
Herkunft: _____
Muttersprache: _____
Fremdsprache(n): _____

3 **Meine Familie spricht ...**

a Machen Sie eine Liste.

meine Mutter: Urdu, Englisch
mein Vater:
mein Bruder:

b Erzählen Sie Ihrer Partnerin / Ihrem Partner über Ihre Familie.

KOMMUNIKATION

Fremdsprache die, -n
  Ich spreche ... als Fremdsprache.
Muttersprache die, -n
  Meine Muttersprache ist ...
  Ich spreche ... als Muttersprache.

Meine Mutter spricht
Urdu und ...

IM BERUF *Begrüßen und verabschieden*

1 **Ordnen Sie zu und ergänzen Sie die Tabelle.**

Auf Wiedersehen | Guten Abend | Hallo | ~~Guten Morgen~~ | Guten Tag | Tschüs

	Begrüßung			Abschied	
	formell (Sie)	informell (du)		formell (Sie)	informell (du)
7.00	*Guten Morgen*		7.00		
9.00			9.00		
12.00			12.00		
14.00			14.00		
17.00			17.00		
19.00			19.00		
22.00			22.00		

▶ 1 15–18 **2** **Hören Sie und ordnen Sie zu.**

Gespräch	A	B	C	D
Bild	2			

▶ 1 15–18 **3** **Hören Sie noch einmal. Was sagen die Leute? Kreuzen Sie an.**

a ○ Hallo, Frau Soares.
  ○ Hallo, Maria.

b ○ Guten Tag, Herr Yilmaz.
  ○ Guten Tag, Ali.

c ○ Auf Wiedersehen, Frau Reich.
  ○ Auf Wiedersehen, Annette.

d ○ Tschüs, Pia.
  ○ Tschüs, Frau Minetti.

4 **Spielen Sie Gespräche mit Ihrer Partnerin / Ihrem Partner.
Benutzen Sie die Uhrzeiten und die Bilder aus 2.**

Bild 1: `11:00` `16:00` `17:00`

Bild 2: `06:00` `10:00` `20:00`

Bild 3: `12:00` `15:00` `19:00`

Bild 4: `08:00` `11:00` `18:10`

 `11:00`
■ Guten Tag, Frau / Herr …
▲ Guten Tag, …

 `12:00`
■ Tschüs, …
▲ Tschüs, …

WIEDERHOLUNGSSTATION: WORTSCHATZ

1 Sich begrüßen und sich verabschieden? Ergänzen Sie.

Begrüßung
a Hallo
b _ _ _ _ n   T _ _
c _ _ _ _ _   _ _ r _ _ _
d G _ _ _ _   _ _ _ _ _

Abschied
e _ _ _ _   N _ _ _ _ _
f A _ _   _ _ _ _ _ _ _ _ _ _ _ _
g _ s _ _ _ _

2 Ruths Familie

a Sehen Sie den Stammbaum an und ergänzen Sie.

1 Peter: Justus ist mein _Sohn_.
2 Jakob: Franz und Marianne sind meine _____.
3 Marianne: Ruth ist meine _____.
4 Peter: Marianne ist meine _____.
5 Ruth: Franz ist mein _____.
6 Katharina: Mein _____ heißt Peter.

b Was machen Jakob, Justus und Ruth? Ordnen Sie zu.

geschieden | Geschwister | Jahre alt | wohne | Ausbildung |
arbeite | habe | von Beruf

1 Ich bin 22 _____ (a) und
   mache eine _____ (b).

2 Ich bin 24 und _____ (c) in Köln.
   Ich bin verheiratet. Ich _____ (d) als Koch.

3 Ich _____ (e) zwei _____ (f). Ich bin 26 Jahre alt,
   _____ (g) und Sekretärin _____ (h).

Franz   Marianne

Katharina   Peter

Ruth   Justus   Jakob

3 Berufe. Lösen Sie das Rätsel.

a   b   c   d

                                  e

                                         f

Lösungswort: ──────

a K E L L N E R
b
c
d
e
f

WIEDERHOLUNGSSTATION: GRAMMATIK

1 **Schreiben Sie Gespräche.**

a ■ Ist Sergio Ingenieur?   (Sergio – ist – Ingenieur)
  ▲ Ja, _____.   (arbeitet – er – Siemens – bei)

b ■ _____?   (er – kommt – woher)
  ▲ Aus Mexiko.

c ■ _____?   (wohnt – wo – er)
  ▲ In Berlin.

d ■ _____?   (Geschwister – er – wie viele – hat)
  ▲ _____.   (eine Schwester – hat – er)

e ■ _____?   (Sprachen – spricht – welche – er)
  ▲ Spanisch und Deutsch.

2 **Mein Name ist ...**

a   Suchen Sie noch **9 Verben.**

H	S	M	H	E	D	S	W	I
R	A	L	A	S	J	P	O	B
M	V	E	B	E	O	R	H	H
A	R	B	E	I	T	E	N	E
C	H	E	N	N	K	C	E	I
H	U	N	C	M	O	H	N	S
E	I	C	F	P	M	E	A	S
N	A	B	I	G	M	N	I	E
S	T	U	D	I	E	R	E	N
P	R	A	T	R	N	U	L	G

ß = ss

b   **Ergänzen Sie die Verben aus a in der richtigen Form.**

■ Hallo, mein Name ist Lena und wie _____ du?
▲ Hallo, Lena, ich bin Giorgios, und das ist mein Bruder Kostas.
■ Woher _____ ihr?
▲ Aus Griechenland.
■ Und was _____ ihr hier in Deutschland?
▲ Ich _____ an der Universität in Köln und Kostas _____ als Programmierer. Und du?
■ Ich _____ in Hamburg und _____ einen Job als Kellnerin. Wie viele Jahre wohnst du schon in Deutschland?
▲ Zwei Jahre.
■ Was! Nur zwei Jahre? Du _____ sehr gut Deutsch!
▲ Danke!

3 **Lesen Sie die Informationen zu Isabel und schreiben Sie Sätze mit *nicht*.**

STECKBRIEF

Name: Isabel
Adresse: Veilchenweg 37, Oberhausen
Familienstand: Single
Beruf: Sekretärin
Herkunft: Schweiz

a   Köln wohnen: Isabel wohnt nicht in Köln.
b   als Krankenschwester arbeiten: _____
c   verheiratet sein: _____
d   aus Österreich kommen: _____

4 **Was ist richtig? Markieren Sie.**

Das ist Ferdinand. Er ist mein/meine Kollege/Kollegin. Er ist auch Mechatroniker/Mechatronikerin von Beruf. Wir arbeiten/arbeite jetzt als/bei VW in Wolfsburg. Ferdinand wohne/wohnt allein, aber er hast/hat viele Freunde.

Das ist mein/meine Chef/Chefin. Sie heiße/heißt Elena Goldoni. Sie kommt in/aus Italien. Aber sie lebt/lebst schon vierzig Jahre bei/in Deutschland. Sie spreche/spricht perfekt Deutsch und Italienisch.

TRAINING: AUSSPRACHE

Satzmelodie – Lektion 1 _____

▶ 1 19 **1** **Hören Sie und sprechen Sie dann.**

  ■ Wie heißt du? ↘
  ▲ Ich heiße Paco. ↘ Und wer bist du? ↗
  ■ Ich bin Nicole. ↘

2 **Ergänzen Sie die Regel: ↗ oder ↘.**

> **Wie ist die Satzmelodie …?**
> bei Aussagen (Ich heiße Paco.): _____
> bei W-Fragen (Wie heißt du?): _____
> bei Rückfragen (Und wer bist du?): _____

▶ 1 20 **3** **Hören Sie und ergänzen Sie ↘ oder ↗.**
Lesen Sie dann mit Ihrer Partnerin / Ihrem Partner.

  ■ Hallo. _____
  ▲ Hallo, Paco. _____ Wie geht es dir? _____
  ■ Danke, _____ gut. _____ Und dir? _____

Wortakzent – Lektion 2 _____

▶ 1 21 **1** **Welche Silbe ist betont? Hören Sie und markieren Sie den Wortakzent.**

Stud<u>ent</u> – Journalist – Ingenieur – Schauspieler – Arzt – Lehrer – Verkäufer –
Kellner – Friseur – Schüler – Krankenschwester

2 **Ordnen Sie die Wörter aus 1 zu und kreuzen Sie dann an: Was ist richtig?**

Silbe 1 ‿ _ _	Silbe 2 _ ‿ _	letzte Silbe _ ‿
Arzt		Student

> **Der Wortakzent ist**
> ○ immer auf Silbe 2.
> ○ flexibel. Den richtigen
>   Wortakzent findet man
>   im Wörterbuch.

▶ 1 22 **3** **Hören Sie die Berufe aus 1 noch einmal und sprechen Sie nach.**
Achten Sie auf den Wortakzent.

TRAINING: AUSSPRACHE

Satzmelodie bei Fragen – Lektion **3**

▶1 23 **1** **Was hören Sie? Ergänzen Sie die Satzmelodie: ↘ oder ↗.**

Wer ist das? ↘
Ist das deine Frau? ↗
Bist du verheiratet? ____
Wie heißt deine Frau? ____
Heißt deine Frau Steffi? ____
Was ist sie von Beruf? ____

2 **Ergänzen Sie die Regel.**

> ↗ | ↘
>
> Bei W-Fragen (Wer? Wie? Was? ...)
> geht die Satzmelodie nach unten: ____
> Bei Ja-/Nein-Fragen geht die Satz-
> melodie nach oben: ____

REGEL

▶1 24 **3** **Ergänzen Sie die Satzmelodie (↘, ↗).** **Hören Sie dann und vergleichen Sie.**

■ Das ist deine Freundin, ↘ oder? ↗
▲ Nein. ____ Das ist nicht meine Freundin. ____ Das ist meine Schwester. ____
■ Wohnt sie auch in Deutschland? ____
▲ Nein. ____ Sie wohnt in Polen. ____
■ Aha. ____ Aber sie spricht Deutsch, ____ oder? ____
▲ Sie spricht Polnisch, Deutsch und Englisch. ____
■ Ist sie verheiratet? ____
▲ Nein. ____ Sie ist nicht verheiratet. ____

▶1 25 **Hören Sie noch einmal und sprechen Sie nach.**

SELBSTEINSCHÄTZUNG *Das kann ich!*

● ○ ●

Ich kann jetzt ...

... andere begrüßen und mich verabschieden: L01   ○ ○ ○
Hallo/Guten _____

... mich und andere vorstellen: L01/L02/L03   ○ ○ ○
Ich heiße _____. Ich komme _____ und ich wohne
_____. Ich spreche _____.

... nach dem Befinden fragen und über mein Befinden sprechen: L01   ○ ○ ○
du: ■ Wie _____? ▲ Danke, _____. ☺ Und _____?
Sie: ● _____?
    ■ _____. ☹ Und _____?

... nachfragen und buchstabieren: L01   ○ ○ ○
■ Mein Name ist Chanya Ndiaye.
▲ _____?
■ Ich _____: C-H-A-N- ...

... nach dem Beruf fragen und über meinen Beruf sprechen: L02   ○ ○ ○
■ Was bist du von _____? ▲ Ich _____.

... über Persönliches sprechen: L02   ○ ○ ○
Familienstand: Ich bin _____.
Kinder: Ich _____.
Alter: Ich _____.

SELBSTEINSCHÄTZUNG *Das kann ich!*

... meine Familie beschreiben: L03 ○ ○ ○

Das ist/sind_____.

_____ kommt aus _____ und wohnt in

_____.

Ich kenne ...

... 5 Länder und Sprachen: L01/L03 ○ ○ ○

_____

_____

... 5 Berufe: L02 ○ ○ ○

_____

_____

... die Zahlen bis 100: L02 ○ ○ ○

10 *zehn*_____ 17 *siebzehn*_____ 23 _____ 38 _____

40 _____ 50 _____ 60 _____ 70 _____

80 _____ 90 _____ 100 _____

... 10 Familienmitglieder: L03 ○ ○ ○

_____

_____

Ich kann auch ...

... W-Fragen stellen und auf Fragen antworten: L01/L02/L03 ○ ○ ○

■ _____ heißt ihr? ▲ _____ Sandra und Simone.

■ _____ kommen Selim und Mina? ▲ _____ aus Ägypten.

■ _____ sprichst du? ▲ _____ Spanisch und Englisch.

■ _____ wohnen Sie? ▲ _____ in Madrid.

■ _____ ist das? ▲ _____ ist Pedro.

... Aussagen verneinen (Negation): L02 ○ ○ ○

Markus wohnt _____ in Köln und

ist _____ verheiratet.

> *Markus: Stuttgart*
> *Familienstand: Single*

... nach Familienmitgliedern fragen und sie benennen (Possessivartikel): L03 ○ ○ ○

▲ Sind das *deine* Eltern? ■ Ja, das sind _____ Eltern. Das ist _____

Mutter und das ist _____ Vater.

... Ja-/Nein-Fragen stellen und mit ja/nein/doch antworten: L03 ○ ○ ○

■ _____ das deine Eltern?

☺ ▲ _____. ☹ ▲ _____.

■ _____ dein Bruder nicht verheiratet?

☺ ▲ _____. ☹ ▲ _____.

Üben/Wiederholen möchte ich noch ...

_____

Der Tisch ist schön!

1 **Ergänzen Sie das Gespräch.**

KOMMUNIKATION

Er ist wirklich schön, aber sehr teuer. | Nur 29 Euro! Das ist aber günstig! |
Und wie viel kostet der Stuhl? | Was kostet denn das Bild? | ~~Ja, bitte.~~

■ Guten Tag, brauchen Sie Hilfe?

                       a ▲ *Ja, bitte.* _____

■ 29 Euro!

                       b ▲ _____

■ Ja, das ist ein Sonderangebot.

                       c ▲ _____

■ Der Stuhl kostet 200 Euro.

                       d ▲ _____

■ Finden Sie?

2 **Meine Möbel**

WÖRTER

a Ergänzen Sie die Nomen mit Artikel.

~~Bett~~ | Bild | Lampe | Sessel | Stuhl | Sofa | Tisch | Schrank | Teppich

das Bett

b Notieren Sie 10 Nomen aus den Lektionen 1 bis 3.
Ihre Partnerin / Ihr Partner sucht die Artikel im Wörterbuch.

> **der Sohn** [zo:n]; -[e]s, Söhne [ˈzøːnə]: *männliches Kind:* ein Sohn aus erster, zweiter Ehe; der älteste, jüngste, einzige Sohn; Vater und Sohn sehen sich überhaupt nicht ähnlich; die Familie hat zwei Söhne und eine Tochter. *Syn.:* Junior. *Zus.:* Adoptivsohn.

3 **Ergänzen Sie *der, das* oder *die* und vergleichen Sie.**

STRUKTUREN

Deutsch	Englisch	Meine Sprache oder andere Sprachen
_____ Mann, _____ Tisch	**the** man, **the** table	
_____ Kind, _____ Bett	**the** child, **the** bed	
_____ Frau, _____ Lampe	**the** woman, **the** lamp	

KB 5

▶ 1 26

WÖRTER

4 Welche Zahlen hören Sie?

a Kreuzen Sie an.

1 ◯ 323   ◯ 332   4 ◯ 1 100   ◯ 1 010
2 ◯ 17 000   ◯ 70 000   5 ◯ 64 200   ◯ 46 200
3 ◯ 350 000 ◯ 355 000   6 ◯ 100 000   ◯ 1 000 000

▶ 1 27

b Hören Sie noch einmal und sprechen Sie nach.

KB 6

▶ 1 28–31

HÖREN

5 Was kosten die Möbel? Hören Sie und notieren Sie die Preise.

a   b   c   d

_____ €   _____ €   _____ €   _____ €

KB 6

▶ 1 32

WÖRTER

6 Wie sagt man das? Ergänzen Sie. Hören Sie dann.

a 0,99 €   *neunundneunzig Cent* _____

b 0,59 €   _____

c 9,99 €   _____

d 69,00 € _____

e 77,77 € _____

f 178,95 € _____

KB 7

STRUKTUREN ENTDECKEN

7 Was passt zusammen? Ordnen Sie zu und ergänzen Sie.

Der Sessel ist modern.   Sie kommt aus Italien.
Die Lampe ist schön.   Es ist aber sehr klein.
Das Bett ist auch nicht schlecht. Und er ist praktisch.

• *der* → er   • ____ → sie   • ____ → es

KB 7

STRUKTUREN

8 Ergänzen Sie.

a ■ Was kostet denn *der* Schrank?
   ▲ *Er* kostet 799 Euro.

b ■ _____ Sofa ist schön!
   ▲ Ja, _____ ist nicht schlecht.

c ■ Woher kommt _____ Teppich?
     Aus Tunesien?
   ▲ Nein, _____ kommt aus Marokko.

d ■ _____ Couch kostet 359 Euro, oder?
   ▲ Nein, _____ kostet 299 Euro, das
     ist ein Sonderangebot.

e ■ Die Lampe ist wirklich schön.
   ▲ _____ kommt aus Italien.

BASISTRAINING

9 **Schreiben Sie die SMS fertig.**

praktisch | sehr günstig | 199 Euro | Sonderangebot

Hallo Barbara,
ich bin im Möbelhaus. Die Couch hier ist schön, oder?
_____
_____
_____

Kommst Du auch? Ich brauche Deine Hilfe!
Marlene

10 **Schön oder hässlich?**

a Notieren Sie die Wörter.

1 wersch	*schwer*	4 nösch	_____	7 orßg	_____
2 hichsäls	_____	5 nielk	_____	8 tielch	_____
3 galn	_____	6 zurk	_____		

b Ergänzen Sie die Wörter aus **a**.

1

Das Bett ist zu
_____ _____

3

Der Stuhl ist zu
_____ _____

2

Der Mann findet die Lampe _____.
Die Frau findet die Lampe _____.

4

Die Aufgabe ist
schwer _____

11 **Welche Antwort passt? Kreuzen Sie an und finden Sie das Lösungswort.**

a ■ Guten Morgen, hier ist dein Kaffee.
   Ⓛ Danke, gut.
   ☒ Vielen Dank.

b ■ Guten Tag, wie geht es Ihnen?
   Ⓔ Nein, danke.
   Ⓤ Danke, gut.

c ■ Brauchen Sie Hilfe?
   Ⓟ Ja, bitte.
   Ⓞ Vielen Dank.

d ■ Vielen Dank für das Geschenk.
   Ⓔ Bitte, bitte.
   Ⓣ Nein, danke.

e ■ Das macht 9,99 Euro.
   Ⓐ Ja, bitte?
   Ⓡ Wie bitte?

Lösung:

a	b	c	d	e
S	__	__	__	__

1 **Lesen Sie den Prospekt. Was ist richtig? Kreuzen Sie an.**

Möbel günstig kaufen bei MÖBEL AMRA

Super Möbel! Super Preise!

69,- € 110,- € 99,- €

199,- € 39,- €

Supersparpreis!!!
~~229,- €~~
nur 149,- €

a Die Möbel sind günstig. ○   b Der Tisch ist ein Sonderangebot. ○
   Die Möbel sind teuer. ○   Das Bett ist ein Sonderangebot. ○

2 **Bringen Sie die E-Mails in die richtige Reihenfolge.**

	1	2	3	4
E-Mail:	C			

Ⓐ Hallo Susi,
danke für den Tipp. Bei MÖBEL AMRA
kostet ein Sofa 199 € und ein Bett 149 €.
Das finde ich nicht teuer und die Möbel
sind wirklich schön.
Gruß Johannes

Ⓑ Hallo Johannes,
bei MÖBEL AMRA in der Blücherstraße gibt es
günstige Möbel. Und sie sind sehr schön.
Susi

Ⓒ Hallo Susi,
ich brauche ein Sofa und ein Bett für mein
Zimmer. Wo finde ich günstige Möbel
in Berlin? Weißt Du das? Ich habe leider
nicht viel Geld. ☹
Gruß Johannes → Wer schreibt?

Ⓓ Hallo Johannes, super! ☺
Bis bald
Susi

> **TIPP**
> Markieren Sie in Texten die Antworten
> auf die W-Fragen: **Wer** schreibt?
> **Was** braucht er/sie? **Wo** findet er/sie ...?
> **Wie viel** kostet ...? **Wie** findet er/sie ...?
> So verstehen Sie den Text besser.

3 **Kreuzen Sie an.**

	richtig	falsch
a Susi braucht Möbel.	○	○
b Susi wohnt in der Blücherstraße.	○	○
c Ein Bett kostet 149 Euro.	○	○
d Johannes findet die Möbel hässlich.	○	○

TEST _____

WÖRTER

1 **Schreiben Sie die Zahlen.**

a Das kostet fünfhunderttausendfünfundvierzig Euro: _500 045 €_
b Das kostet achthundertdreiundzwanzig Euro: _____
c Das kostet dreitausendneunhundertachtundsiebzig Euro: _____
d Das kostet achthundertvierundachtzigtausend Euro: _____   _/ 3 PUNKTE

WÖRTER

2 **Ergänzen Sie die Möbel.**

a chits: _Tisch_
b petipch: _____
c eplam: _____
d tebt: _____
e knschar: _____   _/ 4 PUNKTE

WÖRTER

3 **Wie heißt das Gegenteil?**
Ergänzen Sie.

a groß – _klein_
b schön – _____
c kurz – _____
d billig – _____   _/ 3 PUNKTE

STRUKTUREN

4 **Ergänzen Sie den Artikel.**

a ■ Wie viel kostet _der_ Teppich?   ▲ 299 Euro.
b ■ _____ Couch ist wirklich schön.   ▲ Ja und so praktisch!
c ■ _____ Sofa kostet 999 Euro.   ▲ Was? Das ist aber sehr teuer.
d ■ _____ Stuhl ist günstig.   ▲ Finden Sie?
e ■ _____ Sessel kostet 19,99 Euro.   ▲ Oh. Das ist billig.   _/ 4 PUNKTE

STRUKTUREN

5 **Ergänzen Sie die Personalpronomen.**

a Ich finde das Bett sehr schön. Was kostet _es_?
b Der Schrank ist billig und _____ ist praktisch.
c Das Bild ist sehr modern. _____ ist von Pablo Picasso.
d Die Lampe ist nicht schlecht. _____ kostet nur 48 Euro.
e Der Tisch ist sehr teuer. _____ kommt aus Italien.   _/ 4 PUNKTE

KOMMUNIKATION

6 **Ordnen Sie zu.**

Vielen Dank | Sie kostet | Das ist | Wie viel kostet | Kann ich Ihnen helfen | zu teuer | Brauchen Sie

■ Guten Tag. _____ (a)?
▲ Ja, gern. _____ (b) denn der Teppich?
■ 19,99 Euro.
▲ Was, er kostet nur 19,99 Euro? _____ (c) aber billig!
■ Ja, das ist ein Sonderangebot. _____ (d) auch
  eine Lampe? _____ (e) jetzt 125 Euro.
▲ _____ (f), aber das ist _____ (g).   _/ 7 PUNKTE

Wörter		Strukturen		Kommunikation	
●	0–5 Punkte	●	0–4 Punkte	●	0–3 Punkte
○	6–7 Punkte	○	5–6 Punkte	○	4–5 Punkte
●	8–10 Punkte	●	7–8 Punkte	●	6–7 Punkte

LERNWORTSCHATZ

1 Wie heißen die Wörter in Ihrer Sprache? Übersetzen Sie.

Möbel

Möbel (Pl.) _____

Bett das, -en _____

Bild das, -er _____

Lampe die, -n _____

Schrank der, ⸚e _____

Sessel der, - _____

Sofa das, -s / _____
  Couch die, -(e)s / -en

Stuhl der, ⸚e _____

Teppich der, -e _____

Tisch der, -e _____

Etwas beschreiben

groß _____

hässlich _____

klein _____

kurz _____

lang _____

leicht _____

modern _____

praktisch _____

(nicht) schlecht _____

schön _____

schwer _____

sehr (groß/ _____
  klein/...)

zu (groß/klein/...) _____

Geld

Euro der, -s _____

  100 Euro _____

Cent der, -s _____

Preis der, -e _____

Angebot das, -e _____

  Sonderangebot _____

kosten _____

machen

  das macht ... _____

günstig/billig _____

teuer _____

Weitere wichtige Wörter

Hilfe die, -n _____

Zimmer das, - _____

brauchen _____

finden _____

sagen _____

nur _____

wirklich _____

TIPP Notieren Sie Nomen immer mit dem Artikel und mit Farbe.

• der Tisch   • die Lampe

  • das Sofa

2 Welche Wörter möchten Sie noch lernen? Notieren Sie.

_____

_____

_____

_____

_____

_____

_____

_____

Was ist das? – Das ist ein F.

KB 2 **1** **Ergänzen Sie.**

WÖRTER

• der	• das	• die
1 _ _ _ e _ _ _ _ _ _ _ _ _ _ _	5 F e u e r z e u g	7 _ l _ _ _ _ _
2 _ _ _ _ _ a _ _ _ _ _ _ _	6 _ _ c _	8 _ _ _ _ l _ _
3 _ _ _ _ _ _ _ _ _ e _		9 _ _ s _ _ _ _
4 _ _ _ i _ _ _ _ _		10 _ _ t t _

KB 2 **2** **Ergänzen Sie ein/ein/eine und der/das/die.**

STRUKTUREN

a Hier ist _ein_ Feuerzeug. _Das_ Feuerzeug ist praktisch.

b Das ist _____ Kinderbrille. _____ Brille ist sehr leicht.

c Hier ist _____ Fotoapparat. _____ Fotoapparat kostet 299 Euro.

d Hier ist _____ Kette. _____ Kette ist modern.

e Das ist _____ Buch. _____ Buch ist interessant.

KB 2 **3** **Was ist richtig? Markieren Sie.**

STRUKTUREN

a ■ Guten Tag.
  ▲ Guten Tag. Ich brauche
  eine / die Brille.

b ■ Was kostet eine / die Couch?
  ▲ Eine / Die Couch kostet
  299 Euro.

c ■ Wo ist ein / der Schlüssel?
  ▲ Hier ist er!

d ■ Ist ein / das Buch gut?
  ▲ Ja, sehr gut.

KB 2 **4** **Ergänzen Sie ein – eine – kein – keine.**

STRUKTUREN

a	Das ist _keine_ Frau.	Das ist _eine_ Frau.
b	Das ist _____ Sofa.	Das ist _____ Sofa.
c	Das ist _____ Sonderangebot. 159 €	Das ist _____ Sonderangebot. ~~159 €~~ 79 €
d	Das ist _____ Stadt.	Das ist _____ Stadt.

STRUKTUREN

KB 2 | **5** | **Was ist das? Was glauben Sie?**

a Ergänzen Sie.

1 ■ Was ist das? Ein Stift? Ein Buch?
  ▲ Das ist _kein Buch, das ist ein Stift._

2 ■ Was ist das? Eine Kette? Eine Flasche?
  ▲ Das ist _____

3 ■ Was ist das? Ein Schrank? Ein Tisch?
  ▲ Das ist _____

4 ■ Was ist das? Eine Brille? Eine Lampe?
  ▲ Das ist _____

b Zeichnen Sie eigene Aufgaben wie in **a**. Was ist das? Was glaubt Ihre Partnerin / Ihr Partner?

STRUKTUREN

KB 2 | **6** | *nicht* **oder** *kein*-**? Kreuzen Sie an.**

a Das ist   ⊗ nicht   ○ keine   schwer.
b Ich habe   ○ nicht   ○ keine   Kinder.
c Ich finde das Sofa ○ nicht   ○ kein   schön.
d Ich lebe   ○ nicht   ○ keine   in Deutschland.
e Das ist   ○ nicht   ○ kein   richtig.

STRUKTUREN

KB 2 | **7** | **Ordnen Sie zu, ergänzen und vergleichen Sie.**

nicht | ~~kein~~ | keine | kein | nicht

Deutsch	Englisch	Meine Sprache oder andere Sprachen
Das ist _kein_ Buch.	This is **not** a book.	
Das ist _____ Flasche.	This is **not** a bottle.	
Das ist _____ Schlüssel.	This is **not** a key.	
Ich bin _____ verheiratet.	I am **not married.**	
Ich komme _____ aus Graz.	I do **not** come from Graz.	

WÖRTER

KB 3 | **8** | **Ordnen Sie zu.**

a Die Lampe    ist aus Metall.

b Der Stuhl   ist aus Plastik.

c Das Buch   ist aus Glas.

d Die Flasche   ist aus Papier.

e Der Schlüssel   ist aus Holz.

BASISTRAINING

9 **Ergänzen und malen Sie die Farben und Formen.**

WÖRTER

s _ _ _ _ _ _ z ●	w _ _ ß
r _ t	b _ _ u
g _ _ b	g _ _ n
o _ _ _ _ e	b _ _ _ _ n
e _ _ _ g ☐	r _ _ d

10 **Beschreiben Sie die Produkte.**

SCHREIBEN

a Regenschirm – schwarz – sehr groß – neu – € 30
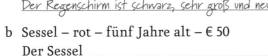
Der Regenschirm ist schwarz, sehr groß und neu. Er kostet 30 Euro.

b Sessel – rot – fünf Jahre alt – € 50
Der Sessel _____

c Tasche – Kunststoff – orange – sehr praktisch – neu – € 78
_____

d Uhr – braun – sehr modern – € 37
_____

e Lampe – schwarz – Plastik – zwei Jahre alt – € 12
_____

11 **Wie schreibt man das?**

KOMMUNIKATION

a Ordnen Sie zu.

Wie   heißt das auf Deutsch?
Wie   kein Problem.
Wie   schreibt man das?
Bitteschön,   bitte?

b Ergänzen Sie das Gespräch mit Wendungen aus a.

■ Entschuldigung. _____
▲ Das ist eine Zeitung!
■ *Wie schreibt man das ?*
▲ Z-E-I-T-U-N-G.
■ Z-E-I- ... _____
▲ Z-E-I-T-U-N-G.
■ Vielen Dank.
▲ _____

TRAINING: SCHREIBEN

5

1 Formulare. Ordnen Sie zu.

Beruf | Familienname | Straße | Vorname | E-Mail | Ort | ~~PLZ~~ | Telefon

Paul Paulsen
Diplom-Ingenieur
Görlitzer Str. 15
PLZ   01099 Dresden
0049 / 351 – 37 20 207
paul@paul.de

> **TIPP**
> Sie müssen oft Ihre Adresse sagen oder die Adresse von anderen
> verstehen. Achten Sie besonders auf Wörter wie Ort, Postleitzahl ...
> So verstehen Sie wichtige Informationen.

2 Lesen Sie die Informationen über Jurj Kulintsev und ergänzen Sie die Kundenkarte.

Jurj Kulintsev kommt aus Russland. Jetzt wohnt er zusammen mit seiner
Frau in der Schweiz, in der Helvetiastraße 18 in 3005 Bern. Er hat eine
Ausbildung als Informatiker und arbeitet jetzt als Programmierer bei
DATNET. Er findet Bern sehr schön.

KAUFHAUS KAUFGUT

Nutzen Sie mit unserer Kundenkarte unsere vielen günstigen Angebote!
Wir informieren Sie regelmäßig per Post oder E-Mail über unsere supergünstigen
Sonderangebote!
Antrag auf eine Kundenkarte:
○ Herr ○ Frau
Name: _Kulintsev_   PLZ, Ort: _____ _____
Vorname: _____   Beruf: _____
Straße: _____   E-Mail: _jurj.kulintsev@web.ch_

3 Sie möchten sich für einen Deutschkurs anmelden. Ergänzen Sie das Formular.

Integrationskurs A1.2   Kurs-Nr. D 035

  Mo–Fr 10.00–15.00

  Sprachschule Babylon

  Name: _____   Beruf: _____

  Vorname: _____   Telefon: _____

  Straße: _____   E-Mail: _____

  PLZ, Ort: _____

TEST

1 Markieren Sie und ordnen Sie zu.

EFAMBLAUETUGINFEUERZEUGALVIECKIGUNTSEIFELUGEKUNSTSTOFFA
VIRBORANGEWERRUNDUMOMETALLABIN

Farben: _blau_ _____ _____ Gegenstände: _____ _____
Formen: _____ _____ Materialien: _____ _____

_/ 7 PUNKTE

2 Kreuzen Sie an.

			richtig	falsch
a	Familienname:	Maria	○	⊗
b	Postleitzahl:	6003	○	○
c	Wohnort:	Luzern	○	○
d	Straße:	Bahnhofstr.	○	○
e	Geburtsdatum:	3066	○	○
f	E-Mail:	eva111@t-on.ch	○	○

_/ 5 PUNKTE

3 Ergänzen Sie ein/eine/kein/keine.

a ■ Danke für die Hilfe.
  ▲ Bitte, das ist _kein_ Problem.

b ■ Wer ist Amelie?
  ▲ Sie ist _____ Freundin von Sarah.

c ■ Hier ist der Bleistift!
  ▲ Das ist doch _____ Bleistift, das ist _____ Kugelschreiber!
  ■ Oh, Entschuldigung.

d ■ Wie heißt das Wort? „Doch" oder „noch"?
  ▲ „Noch". Das ist _____ „n".

e ■ Was kostet die Tasche?
  ▲ Das ist _____ Tasche, das ist _____ Geldbörse.

f ■ Wie heißt das auf Deutsch?
  ▲ Das ist _____ Fotoapparat.

_/ 7 PUNKTE

4 Was sagen die Personen? Ergänzen Sie.

■ Entschuldigung, „a biro", w _ _ h _ _ _ _ d _ _ auf Deutsch? (a)
▲ Ah, d _ _ i _ _ ein Kugelschreiber. (b)
■ W _ _ b _ _ _ _ _ ? (c)
▲ Ein Kugelschreiber.
■ Ah, danke. Und noch eine Frage, w _ _ s _ _ _ _ _ _ _ _ m _ _ das? (d)
▲ K-U-G-E-L-S-C-H-R-E-I-B-E-R.
■ Vielen D _ _ _ ! (e)
▲ Bitte, kein P _ _ _ _ _ _ ! (f)

_/ 6 PUNKTE

Wörter	Strukturen	Kommunikation
⬤ 0–6 Punkte	⬤ 0–3 Punkte	⬤ 0–3 Punkte
◖ 7–9 Punkte	◖ 4–5 Punkte	◖ 4 Punkte
⬤ 10–12 Punkte	⬤ 6–7 Punkte	⬤ 5–6 Punkte

LERNWORTSCHATZ

1 Wie heißen die Wörter in Ihrer Sprache? Übersetzen Sie.

Farben

Farbe die, -n   _____

blau   _____

braun   _____

gelb   _____

grün   _____

orange   _____

rot   _____

schwarz   _____

weiß   _____

Formen/Beschaffenheit

Form die, -en   _____

eckig   _____

leicht   _____

neu   _____

rund   _____

Materialien

Material das,
Materialien   _____

Glas das   _____

Holz das   _____

Metall das   _____

Papier das   _____

Plastik das /
Kunststoff der   _____

aus Glas/Holz/
Metall ...   _____

Gegenstände

Bleistift der, -e   _____

Brille die, -n   _____

Buch das, ⸚er   _____

Feuerzeug das, -e   _____

Flasche die, -n   _____

Fotoapparat der, -e   _____

Geldbörse die, -n   _____

Kette die, -n   _____

Kugelschreiber
der, -   _____

Regenschirm
der, -e   _____

Ring der, -e   _____

Schlüssel der, -   _____

Seife die, -n   _____

Streichholz
das, ⸚er   _____

Tasche die, -n   _____

Uhr die, -en   _____

Persönliche Angaben

Adresse die, -n   _____

E-Mail die, -s   _____

Fax das, -e   _____

Geburtsdatum
das, Geburtsdaten   _____

Hausnummer
die, -n; Nummer die, -n   _____

Ort der, -e   _____

PLZ (Postleit-
zahl) die, -en   _____

Straße die, -n   _____

Telefon das, -e   _____

Weitere wichtige Wörter

Entschuldigung
die, -en   _____

Menge die, -n   _____

Problem das, -e   _____
kein Problem

Produkt das, -e   _____

Wort das, ⸚er   _____

Wörterbuch
das, ⸚er   _____

bieten   _____

schreiben   _____

jetzt   _____

man   _____

jede/r   _____

noch einmal   _____

so

2 Welche Wörter möchten Sie noch lernen? Notieren Sie.

TIPP Malen Sie Bilder zu neuen Wörtern.

● rund
■ eckig

Ich brauche kein Büro.

1 **Schreiben Sie die Wörter an die richtige Stelle.**

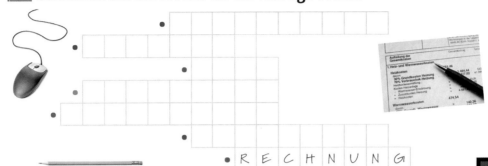

• R E C H N U N G

KB 6 **2** **Ergänzen und vergleichen Sie.**

Deutsch	Englisch	Meine Sprache oder andere Sprachen
Das ist _ein_ Stift.	This is **a** pen.	
Der Stift ist rot.	**The** pen is red.	
Das ist _____ Maus.	This is **a** mouse.	
_____ Maus ist klein.	**The** mouse is small.	
Das ist _____ Feuerzeug.	This is **a** lighter.	
_____ Feuerzeug kostet zwei Euro.	**The** lighter costs two euro.	
Das sind _____ Briefmarken.	These are stamps.	
_____ Briefmarken sind schön.	**The** stamps are nice.	

KB 6 **3** **Wie heißt der Plural?**

a Suchen Sie im Wörterbuch.

• Handy | • Briefmarke | • E-Mail | • Telefon | • Drucker | • Computer |
• Notizbuch | • Kalender | • Bildschirm | • Stift | • Rechnung | •~~Laptop~~

-(e)n	-s	-e/¨e	-er/¨er	-/¨
	der Laptop, die Laptops			

b Suchen Sie zehn Nomen aus den Lektionen 1 bis 5. Ihre Partnerin / Ihr Partner sucht die Pluralform im Wörterbuch.

> die **Brief|mar|ke** ['bri:fmarkə]; -⟨n⟩ von der Post herausgegebene Marke von bestimmtem Wert, die auf den Briefumschlag, die Postkarte oder das Päckchen

BASISTRAINING

4 **Ergänzen Sie die Pluralform und (wenn nötig) den Umlaut (ä/ö/ü).**

a Alle Kalender _ – jetzt nur 10 Euro!

b „Die Büroeinrichter!"
Wir haben Tisch___, Stühl_e und Schrank___.

c Hier finden Sie Handy___! Gut und günstig!

d Neu! Im Mai kommen die Briefmarke___ zur Fußball-WM.

e Wir haben die besten **Sonderangebote** für **Computer**___ und **Drucker**___.

f Geldbörse___ und Tasche___ aus Leder! Jetzt bei lederwelt.de!

5 **Markieren Sie den <u>Nominativ</u> und den <u>Akkusativ</u>. Ergänzen Sie dann die Tabelle.**

a ■ Wo ist <u>der Schlüssel</u>?
  ▲ Frau Feser hat <u>den Schlüssel</u>.
  ■ Ach so!

b ■ Wo ist denn das Wörterbuch?
  ▲ Ich habe das Wörterbuch auch nicht.

c ■ Ich finde den Kalender schön.
  ▲ Ich auch, aber der Kalender ist zu klein.

d ■ Wo sind die Briefmarken? Hast du die Briefmarken?
  ▲ Nein, Frau Bertlein hat doch die Briefmarken.

e ■ Der Chef sucht die Rechnung.
  ▲ Die Rechnung ist aber nicht hier.

Nominativ	Akkusativ
• _der_ Schlüssel	_____ Schlüssel
• _____ Wörterbuch	_____ Wörterbuch
• _____ Rechnung	_____ Rechnung
• _____ Briefmarken	_____ Briefmarken

6 **Ergänzen Sie den Artikel.**

a ■ Oh! Der Tisch ist praktisch!
b ■ Schau mal, die Couch, die ist nicht schlecht!

c ■ Aber der Schrank ist super!

d ■ Und das Bett? Wie findest du das?

e ■ Aber die Bilder! Die sind wirklich schön.

▲ Hm, ich finde _den_ Tisch hässlich.
▲ Findest du? Ich finde _____ Couch zu groß.
▲ Na ja, ich finde _____ Schrank zu teuer.
▲ Es geht. Ich finde _____ Bett zu klein.
▲ Ja, ich finde _____ Bilder auch schön.

KB 8 **7** **Im Büro. Schreiben Sie.**

STRUKTUREN

> • Handy/• Telefon | • ~~Computer/• Laptop~~ | • Bildschirm/
> • Drucker | • ~~Bleistifte/~~ ~~Kugelschreiber~~ | • Rechnung/
> • Briefmarken | • Kalender/• Buch

Jutta hat *einen Computer, aber keinen Laptop.*
Sie hat *Bleistifte, aber keine Kugelschreiber.*

KB 8 **8** **Ergänzen Sie den Artikel (*der/das/die* – *ein/eine/einen* – *kein/keine/keinen*) oder /.**

STRUKTUREN

a

Peter,
_____ Termin mit Firma
MAGUS ist heute um
14.00 Uhr!

b

Hallo Frau Peters,
wir haben _____
Briefmarken. Haben Sie
Zeit? Kaufen Sie bitte
_____ Briefmarken?
Gruß P. Bolz

c

Elena,
Tim, der neue Kollege, hat *einen*
Computer und _____ Bild-
schirm, aber _____ Drucker.
Hast Du _____ Drucker?
Danke – Francesca

d

Hallo Elena,
ich habe jetzt _____ Drucker.
Danke! ☺
Tim

e

Samuel,
wie heißt _____ Straße und
_____ Hausnummer der
Firma ZELL AG?
Ana

f

Lieber Daniel,
ich habe um 15 Uhr _____ Zeit!
☹ Tut mir leid.
Bis später,
Thea

KB 8 **9** **Lesen Sie die E-Mail und kreuzen Sie an.**

LESEN

Von:	h.r@yabadoo.de
Betreff:	Komme später ...

Hallo Frau Söder,
ich habe um 10 Uhr einen Termin mit der Firma Grübel. Ich komme heute um 14 Uhr ins Büro.
Schreiben Sie heute bitte auch die Rechnungen für die Firma Merz und die Firma Knapp?

Ach ja, wie ist denn die Telefonnummer von Frau Pauli?
Bitte schreiben Sie mir eine SMS. Vielen Dank.

Schöne Grüße
R. Huber

	richtig	falsch
a Herr Huber hat heute einen Termin.	○	○
b Er sucht eine Rechnung.	○	○
c Er braucht eine Telefonnummer.	○	○
d Er schreibt eine SMS.	○	○

1 33–35 **1** **Hören Sie die Gespräche und ordnen Sie zu.**

Gespräch	1	2	3
Bild			

> **TIPP** Wer spricht mit wem? Achten Sie auf die Personen und die Situationen. Bilder helfen beim Verstehen.

1 33–35 **2** **Hören Sie noch einmal und kreuzen Sie an.**

	richtig	falsch
a Herr Winter und Frau Lenz sind Kollegen.	○	○
b Herr Winter sucht eine Rechnung.	○	○
c Gabi und Sabine sind Freundinnen.	○	○
d Gabi und Sabine gehen zusammen ins Möbelhaus.	○	○
e Clara ist Studentin.	○	○
f Peter, Susi und Clara gehen in ein Café.	○	○

1 36–38 **3** **Nachrichten im Büro. Hören Sie und kreuzen Sie an: Was ist richtig?**

a Was kauft Frau Schneider?
   ○ Papier, Briefmarken und einen Drucker.
   ○ Papier und Briefmarken.

b Was macht Irina?
   ○ Sie schickt eine SMS an Herrn Solter.
   ○ Sie schickt eine SMS an Susanne.

c Was braucht die Firma?
   ○ Rechnungen.
   ○ Einen Laptop.

TEST

1 Ordnen Sie zu.

Termin | E-Mail | ~~Telefonnummer~~ | Büro | Rechnung | Kalender

a ■ Wie ist die _Telefonnummer_ von Frau Schön?
  ▲ 063 91 - 34 67

b ■ Wann ist der Termin mit der Firma Kloss?
  ▲ Ich weiß nicht. Ich finde den
    _____ nicht.

c ■ Was machst du?
  ▲ Ich schreibe eine _____
    an Peter.

d ■ Das macht 499 Euro. Hier ist die
    _____.
  ▲ Vielen Dank.

e ■ Wann ist denn der _____
    mit Frau Hintze?
  ▲ Um 17 Uhr.

f ■ Wo ist der Chef?
  ▲ Im _____.

_ / 5 PUNKTE

2 Ergänzen Sie den Plural und den Artikel im Singular.

	Singular	Plural
a	_die_ Rechnung	_die Rechnungen_
b	_____ Briefmarke	
c	_____ Stift	
d	_____ Handy	

	Singular	Plural
e	_____ Formular	
f	_____ Drucker	
g	_____ Termin	
h	_____ Kalender	

_ / 7 PUNKTE

3 Was ist richtig? Markieren Sie.

a ■ Ich suche der/den Kalender.   ▲ Der/Den Kalender ist hier.
b ■ Sie haben um 10 Uhr ein/einen   ▲ Ja, ich weiß.
    Termin mit Frau Berg.
c ■ Ich suche ein/einen Bleistift. ▲ Ich habe nur ein/einen Kugelschreiber.
d ■ Hast du kein/keinen Schlüssel? ▲ Nein, aber Herr Loos hat ein/einen Schlüssel.
e ■ Was kostet der/den Computer?   ▲ Nur 499 Euro. Das ist ein Sonderangebot.

_ / 7 PUNKTE

4 Ein Telefongespräch. Ordnen Sie zu.

Wo ist denn | Vielen Dank | Auf Wiederhören | Hier ist | Guten Tag

■ Wimmer.
▲ _____ (a), Herr Wimmer. _____ (b) Bugatu.
■ Hallo, Frau Bugatu.
▲ Ich habe eine Frage, Herr Wimmer. _____ (c) der Laptop?
■ Frau Schneider hat den Laptop.
▲ Ach ja, richtig. _____(d). _____ (e), Herr Wimmer.
■ Tschüs, Frau Bugatu.

_ / 5 PUNKTE

Wörter	Strukturen	Kommunikation
⬤ 0–2 Punkte	⬤ 0–7 Punkte	⬤ 0–2 Punkte
◯ 3 Punkte	◯ 8–11 Punkte	◯ 3 Punkte
⬤ 4–5 Punkte	⬤ 12–14 Punkte	⬤ 4–5 Punkte

www.hueber.de/menschen-hier/lernen

LERNWORTSCHATZ _____

1 Wie heißen die Wörter in Ihrer Sprache? Übersetzen Sie.

Im Büro

Arbeitsplatz der, ⁼e _____

Bildschirm der, -e _____

Briefmarke die, -n _____

Büro das, -s _____

Chef der, -s _____

Computer der, - _____

Drucker der, - _____

Firma die, Firmen _____

Formular das, -e _____

Handy das, -s _____

Kalender der, - _____

Laptop der, -s _____

Maus die, ⁼e _____

Notizbuch das, ⁼er _____

Rechnung die, -en _____

SMS die, - _____

Stift der, -e _____

Termin der, -e _____

Weitere wichtige Wörter

Achtung! _____

Auf Wieder-
  hören. _____

Foto das, -s _____

Gruß der, ⁼e _____
  schöne Grüße _____

Stress der

Telefonnummer
  die, -n _____

Zeit die
  keine Zeit _____

gehen _____
suchen _____

heute
hier
  hier ist ... _____
mit
oder _____
wieder _____

> **TIPP**
> Lernen Sie immer auch
> die Pluralform mit.
>
> • Stift – die Stifte

2 Welche Wörter möchten Sie noch lernen? Notieren Sie.

_____

_____

_____

_____

_____

_____

_____

_____

_____

_____

_____

_____

IM ALLTAG Werbung verstehen

1 Sonderangebote – Werbung im Briefkasten

a Lesen Sie den Text. Was bedeuten die Wörter?
Kreuzen Sie an.

reduziert   ○ Das Produkt ist modern, es kostet viel.
              ○ Das Produkt ist ein Sonderangebot, es ist jetzt billig.

Rabatt   ○ Das Produkt ist jetzt billig, der Preis ist günstig.
              ○ Das Produkt ist neu und sehr teuer.

ALLE MÖBEL REDUZIERT! 25% Rabatt auf alle Möbel!

 Modell „Mario" ~~560,- €~~ 420,- € Sie sparen **140 €**!

 Modell „Karen" ~~420,- €~~ 315,- € Sie sparen **105 €**!

 Modell „Sonja" ~~780,- €~~ 585,- € Sie sparen **195 €**!

b Lesen Sie noch einmal und ergänzen Sie die Tabelle.

Produkt	Modell	Preis
Sofa		
	Mario	
		315,-

▶ 1 39–41 ## 2 Sonderangebote – Werbung im Radio

a Was passt? Hören Sie und ordnen Sie zu.

A    B   C

Werbung	1	2	3
Bild			

b Was ist im Sonderangebot? Wie viel kostet es?
Hören Sie noch einmal und notieren Sie.

	Was?	Preis?
Werbung 1	Sofa	
Werbung 2		
Werbung 3		

WORTSCHATZ

Modell das, -e
  Wie heißt das Modell?
Rabatt der, -e
  25 % Rabatt = 25 Prozent Rabatt
reduziert
  Die Möbel sind reduziert.
sparen
  Sie sparen 140 €!
Werbung die

1 Lesen Sie die Texte und markieren Sie:
Wie alt sind die Kinder? Wie heißen die Einrichtungen?

Betreuungsplätze für Ihr Kind rund um Pforzheim!

Sie arbeiten und brauchen eine Betreuung für Ihr Kind? – Hier finden Sie Informationen.

In einer Krippe sind die Kinder circa 8 Wochen bis 3 Jahre alt. In den Gruppen gibt es maximal 15 Kinder. Erzieherinnen oder Erzieher betreuen Ihr Kind von 8 Uhr bis 17 Uhr. Krippen sind oft in Kindertagesstätten.

Die Tagesmütter betreuen kleine Kinder. Die Kinder sind von circa 8 Wochen bis 3 Jahre alt. Die

Gruppen sind aber klein. Nur circa 5 Kinder sind in einer Gruppe.

Die Kinder sind im Kindergarten 3 bis 6 Jahre alt. Von 8 bis 18 Uhr betreuen Erzieherinnen oder Erzieher Ihr Kind. Kindergartengruppen sind auch in einer Kita.

In einer Kindertagesstätte/Kita sind viele Kinder und viele Gruppen: Krippengruppen und Kindergartengruppen. Die Kinder sind 8 Wochen bis 6 Jahre alt. Erzieherinnen oder Erzieher betreuen die Kinder von 7 Uhr bis 17 Uhr.

In einem Hort sind Schulkinder. Die Kinder sind 6 Jahre bis circa 14 Jahre alt. Am Nachmittag essen sie dort und machen Hausaufgaben. Sie können auch spielen. Horte sind meist in Schulen.

2 Wir suchen einen Betreuungsplatz.
Lesen Sie die Texte. Welche Betreuung passt? Kreuzen Sie an.

A Ich arbeite als Verkäuferin bei Schick & Strick. Mein Mann arbeitet bei BMW. Wir haben einen Sohn und eine Tochter. Tarik ist 3 Jahre alt und Hanan ist 5.

Habiba, 30

B Ich arbeite wieder als Sekretärin und suche einen Betreuungsplatz für Luis. Er ist ein Jahr alt.

Jule, 34

C Wir haben eine Tochter, Daniela. Sie ist 7 Jahre alt und geht zur Schule. Meine Frau und ich arbeiten bis 17 Uhr. Wir brauchen eine Betreuung am Nachmittag.

Paul, 32

	Krippe	Tagesmutter	Kindergarten	Kita	Hort
Habiba	○	○	⊗	⊗	○
Jule	○	○	○	○	○
Paul	○	○	○	○	○

WORTSCHATZ

Betreuung die
Betreuungsplatz der, ⸚e
　einen Betreuungsplatz suchen
Einrichtung die, -en

Hort der, -e
Kindergarten der, ⸚
Kindertagesstätte die, -n (auch: Kita die, -s)
Krippe die, -n
Tagesmutter die, ⸚er

IM BERUF Mitteilungen auf dem Anrufbeantworter

1 **Telefongespräche in der Firma Frimox**
Wie heißen die Abteilungen? Ordnen Sie zu.

Kantine | IT-Abteilung | Lager

A
_____

B
_____

C
_____

▶ 1 42–44 **2** **Ahmed Shalabi arbeitet bei der Firma Frimox.**

a Er hat drei neue Anrufe auf seinem Anrufbeantworter. Wer ruft an?
Hören Sie die drei Nachrichten und ordnen Sie sie den Bildern aus 1 zu.

Bild	A	B	C
Hörtext			1

b Was macht Ahmed Shalabi heute im Büro? Hören Sie noch einmal und kreuzen Sie an.

1
a ◯ Er telefoniert.
b ◯ Er schreibt eine E-Mail.

a   b

2
c ◯ Er schickt ein Fax.
d ◯ Er schreibt einen Brief.

c   d

3
e ◯ Er geht in die Kantine.
f ◯ Er telefoniert.

e

c Telefonieren Sie bei der Arbeit? Welche Abteilungen/Personen
rufen bei Ihnen an? Und wo rufen Sie an? Arbeiten Sie
mit dem Wörterbuch und machen Sie eine Liste.

> die Personalabteilung
> der Hausmeister

> Ich rufe oft den Hausmeister an.
> Bei mir ruft das Lager an.

WORTSCHATZ

Abteilung die, -en
  die IT-Abteilung
  die Personalabteilung
Anruf der, -e
  der Anrufbeantworter, -
anrufen
  Er ruft den Chef an.
Brief der, -e
  einen Brief schreiben
Fax das, -e
  ein Fax schicken
Hausmeister der, -
Kantine die, -n
Lager das, -
Nachricht die, -en
telefonieren

1 Mein Zimmer

Ergänzen Sie.

_____
_____
_____
_____

2 Bilden Sie Wörter und ergänzen Sie.

num | mar | ~~Na~~ | Haus | ße | ke | Ort | zahl | ~~me~~ | Post | mer | Stra | Brief | leit

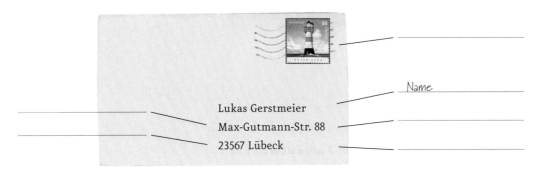

_____

_____   _Name_

Lukas Gerstmeier
Max-Gutmann-Str. 88
23567 Lübeck

_____
_____
_____

3 Was passt nicht? Streichen Sie das falsche Wort durch.

a Kollege – Sekretärin – ~~Feuerzeug~~ – Chef
b Computer – Drucker – Bildschirm – Schlüssel

c Kalender – Termin – Flasche – Zeit
d Brille – Holz – Metall – Kunststoff
e Sonderangebot – Preis – Euro – Hilfe

4 Ergänzen Sie.

a ● _braun_
b ●
c ● _____
d ● _____
e ● _____

f nicht billig   _____
g nicht rund   _____
h nicht lang   _____
i nicht teuer   _____
j nicht schön   _____
k nicht schwer _____

▶ 1 45
5 Zahlenrätsel

a Welche Zahlen hören Sie? Kreuzen Sie an.

890 777	65 678	68 678	312	4 567	120 012	120 712	3 391	25 821	333 910
○	○	○	○	○	○	○	○	○	○
H	V	A	E	Y	S	D	L	T	N

b Ordnen Sie die Buchstaben der angekreuzten Felder ⊗ und finden Sie das Lösungswort.

— — — — —

WIEDERHOLUNGSSTATION: GRAMMATIK

1 **Was ist im Schrank? Was ist nicht im Schrank? Notieren Sie.**

Uhr | Schlüssel | Handy | Tasche | ~~Brille~~ | Flaschen | Regenschirm |
Bücher | Kugelschreiber | Briefmarken | ~~Bleistifte~~

Da ist _____.   Da ist *keine Brille* _____.

_____.   _____.

_____.

_____.

Da sind _____.   Da sind *keine Bleistifte* _____.

_____.   _____.

_____.

2 **Mein Schreibtisch**

a Ergänzen Sie.

Ich habe ...

_____/_____ Schlüssel, *ein* Feuerzeug, _____ Stift, _____ Flasche, _____ Rechnung und _____ Brille.

b Welcher Tisch passt zu dem Text in a? Kreuzen Sie an.

○ A   ○ B   ○ C

3 **Mein Zimmer. Ergänzen Sie die Artikel und Personalpronomen.**

Das ist mein Zimmer. *Es* (a) ist nicht sehr groß, aber _____ (b) ist schön. _____ (c)
Sofa ist nicht sehr modern. _____ (d) ist alt und klein, aber ich brauche _____ (e)
Couch. Und ich habe _____ (f) Schrank. _____ (g) ist groß und nicht
so schön, aber ich brauche _____ (h) Schrank. Und _____ (i) ist praktisch.
_____ (j) Lampe finde ich wirklich super! _____ (k) ist modern und schön!
Jetzt brauche ich noch _____ (l) Computer, _____ (m) Bild und _____ (n)
Teppich. Dann finde ich mein Zimmer wirklich schön!

4 **Markieren Sie das Wortende. Ordnen Sie zu und ergänzen Sie dann die Tabelle.**

HANDYSBRIEFMARKENTISCHBÜROTERMINEDRUCKERSTUHLSCHRÄNKEBILDTEPPICHE
FLASCHENKETTEUHRENRINGBUCHGELDBÖRSENRECHNUNGSTIFTELAMPENPROBLEM
FORMULAREBRILLEFEUERZEUGESEIFE

Singular	Plural
das Handy	Handys

TRAINING: AUSSPRACHE

Lange und kurze Vokale – Lektion **4**

▶1 46 **1 Hören Sie und sprechen Sie nach.**

a a̲ber – La̲mpe – la̲ng – It̲alien – praktisch
e Bett – schwe̲r – se̲hr – Se̲ssel – schlecht
i wi̲e – vi̲el – Tisch – billig – nicht
o So̲fa – gro̲ß – kosten – Sonderangebot
u Stu̲hl – kurz – zu̲ – gu̲t – hundert

2 Ergänzen Sie die Regel.

> kurz . | lang _
>
> Vokale spricht man im Deutschen _____ (a̲, e̲ ...) oder
> _____ (a, e ...). Vokal vor Doppel-Konsonant (ll, ss, tt ...) ist immer
> _____. Die Kombination „ie" ist _____. Man spricht i.
> Der Buchstabe „h" vor Konsonant (hl ...) macht den Vokal _____.

▶1 47 **3 Hören Sie und sprechen Sie nach.**

a Aber die Lampe aus Italien ist praktisch.
b Das Bett ist sehr schwer.
c Wie viel? Der Tisch ist nicht billig.
d Oh! So groß! Das Sofa ist im Sonderangebot.
e Der Stuhl ist gut. Nur hundert Euro.

Satzakzent – Lektion **5**

▶1 48 **1 Hören Sie und kreuzen Sie in der Regel an.**

a ■ Was ist das? ↘
▲ Das ist eine Kette. ↘
■ Wie schreibt man das? ↘
▲ Mit zwei Te. ↘

b ■ Und was ist das? ↗ Ist das eine Kette? ↗
▲ Nein. ↘ Das ist keine Kette, →
das ist ein Ring. ↘

> **Der Satzakzent ist**
> ○ immer auf dem letzten Wort.
> ○ auf der wichtigen oder neuen Information.

▶1 49 **2 Markieren Sie den Satzakzent.**
Hören Sie dann und vergleichen Sie.

a Wie heißt das auf Deutsch?
b Das ist eine Uhr.
c Sie ist aus Plastik.
d Ist das eine Seife?
e Das ist keine Seife, das ist eine Brille.

▶1 50 **Hören Sie noch einmal und sprechen Sie nach.**

TRAINING: AUSSPRACHE

Vokal „ü" – Lektion **6**

▶1 51 **1 Was hören Sie: *i, u* oder *ü*?**
Kreuzen Sie an.

	i	u	ü		i	u	ü
1	○	○	○	6	○	○	○
2	○	○	○	7	○	○	○
3	○	○	○	8	○	○	○
4	○	○	○	9	○	○	○
5	○	○	○	10	○	○	○

▶1 52 **2 Hören Sie und markieren Sie:
lang (__) oder kurz (.).**

Grüße – Schlüssel – Stühle – fünf –
grün – tschüs – Büro

▶1 53 Hören Sie noch einmal und sprechen
Sie nach.

▶1 54 **3 Hören Sie und markieren Sie den
Wortakzent. Sprechen Sie dann.**

Termine
Um vier Uhr im Büro.
Nicht um fünf?
Nein, um sieben.

E-Mail
Viele Grüße und tschüs!

Sonderangebot
Fünf Stühle, grün und günstig,
für Sie zum Sonderpreis!

SELBSTEINSCHÄTZUNG *Das kann ich!*

Ich kann jetzt …   ● ○ ●

… nach Preisen fragen / Preise nennen / Preise bewerten: L04   ○ ○ ○
■ *Was kostet das?* ▲ Das _____ nur _____ Euro (149,90).
Das ist ein Sonderangebot.
Der Tisch kostet nur 129,- €. Das ist _____.
Der Tisch kostet 1479,- € Das ist sehr _____.

… Möbel bewerten: L04   ○ ○ ○
Der Stuhl ist nicht _____. Er ist zu _____.
▲ ☺ Ich finde die Lampe sehr _____.
■ ☹ Findest du? Ich finde die Lampe _____.

… Hilfe höflich annehmen und ablehnen: L04   ○ ○ ○
▲ Brauchen Sie Hilfe? ■ Ja, _____ / Nein, _____.

… nach Wörtern fragen und Wörter nennen: L05   ○ ○ ○
▲ Was _____ das? ■ Das _____.
■ Entschuldigung, _____ auf Deutsch?
▲ _____.
■ _____? ▲ B – L – E – I – S …

… nachfragen und um Wiederholung bitten: L05   ○ ○ ○
▲ Das ist ein Fotoapparat. ■ Wie _____?
        Noch _____.

… einen Gegenstand beschreiben: L05   ○ ○ ○
Das ist _____. _____ ist aus _____. Ich finde ihn _____.

SELBSTEINSCHÄTZUNG Das kann ich!

... mich am Telefon melden und verabschieden: L06   ○ ○ ○
- ■ Brenner IT-Consulting.
- ▲ _____ / _____ hier ist Ines Anton.
- ■ _____ , Frau Anton.
- ...
- ▲ Auf Wiederhören. / Tschüs.
- ■ _____ / _____ .

Ich kenne ...

... 5 Möbelstücke: L04   ○ ○ ○

_____

_____

... die Zahlen von 100 bis 1 000 000: L04   ○ ○ ○

200 _zweihundert_	670 _____
1000 _____	10 000 _____
100 000 _____	1 000 000 _____

... 8 Gegenstände: L05   ○ ○ ○

Diese Gegenstände brauche ich: _Schlüssel,_ _____

Diese Gegenstände brauche ich nicht: _____

... 4 Formen und Materialien: L05   ○ ○ ○

_____

... 4 Farben: L05   ○ ○ ○

Diese Farben finde ich schön: _____

... nicht so schön: _____

... 5 Gegenstände im Büro: L06   ○ ○ ○

_____

Ich kann auch ...

... Nomen verwenden (indefiniter Artikel _ein, eine_ / definiter Artikel _der, das, die_): L04 / L05   ○ ○ ○

Das ist _____ Bett. _____ Bett kostet 159,- €.

... Nomen verneinen (Negativartikel _kein, keine_): L05   ○ ○ ○

▲ Ist das _____ Kugelschreiber? ■ Nein, das ist _____ Kugelschreiber.

... Nomen ersetzen (Personalpronomen _er, es, sie_): L04   ○ ○ ○

▲ Was kostet die Couch? ■ _____ kostet 899,- €.

... mehrere Nomen verwenden (Plural): L06   ○ ○ ○

Wo sind _____ ?

Wo sind _____ ?

... sagen, dass ich etwas (nicht) brauche / (nicht) habe / (nicht) suche (Akkusativ): L06   ○ ○ ○

Ich brauche _____ .

Ich suche _____ .

Hast du _____ ?

Ich habe _____

Üben/Wiederholen möchte ich noch ...

_____

Du kannst wirklich toll ...!

1 Freizeitaktivitäten

WÖRTER

a Notieren Sie.

1 RITAGER LENPISE   *Gitarre spielen*   5 MESCHINMW   _____
2 NEGINS   _____   6 KIS NEHFAR   _____
3 KNECBA   _____   7 NOCHEK   _____
4 NESINT PELIESN   _____

b Ordnen Sie die Wörter aus **a** zu. Ergänzen und vergleichen Sie.

Deutsch	Englisch	Meine Sprache oder andere Sprachen
	to cook	
	to ski	
Gitarre spielen	to play the guitar	
	to swim	
	to bake	
	to play tennis	
	to sing	

2 Ergänzen Sie *können* in der richtigen Form.

STRUKTUREN

a Meine Schwester Lisa *kann* sehr gut malen.
b Mama und Papa _____ gut tanzen. Sie tanzen sehr gern und oft.
c Mein Bruder Tobias _____ super Fußball spielen.
d Oma und Opa _____ sehr gut Schach spielen.
e Und wir _____ alle gut schwimmen.
f Und ich? Ich _____ nicht gut malen, nicht tanzen, nicht Fußball spielen ...

3 Markieren Sie das Satzende. Schreiben Sie die Sätze und ergänzen Sie die Satzzeichen.

STRUKTUREN

dukannstwirklichsehrguttanzenkönntihrschwimmenichkannnichttennis
spielenkönnendeinekinderschachspielendukannstsuperfußballspielenkann
mariagutkochensiekannsehrgutsingen

a	Du	kannst	wirklich sehr gut	tanzen.
b		Könnt	...	

4 Schreiben Sie Sätze mit *können* auf Kärtchen. Tauschen Sie dann mit Ihrer Partnerin / Ihrem Partner. Sie/Er legt den Satz.

ihr	gut	schwimmen	Könnt	?

KB 6 **5** **Wer kann was? Kreuzen Sie an.**

WÖRTER

a Sie kann ○ toll ○ nicht so gut Ski fahren.

b Er kann ⊗ sehr gut ○ gar nicht schwimmen.

c Sie kann ○ gut ○ nicht gut singen.

d Er kann ○ sehr gut ○ ein bisschen Rad fahren.

KB 8c **6** **Ergänzen Sie den Chat.**

KOMMUNIKATION

Leider kann ich nicht Ski fahren | Was sind deine Hobbys | ~~Und was machst du so in der Freizeit~~ | das macht Spaß | Spielst du nicht gern Fußball

Rolli2000:	Und was machst du so in der Freizeit?
sugar-333:	Ich spiele gern Fußball.
Rolli2000:	Wirklich? Aber du bist doch eine Frau? Oder??? ☺
sugar-333:	Na klar! Frauen können auch Fußball spielen, oder? _____?
Rolli2000:	Nein, nicht so gern.
sugar-333:	_____?
Rolli2000:	Ich fahre gern Ski und sehr oft Rad.
sugar-333:	_____. ☹
	Aber ich fahre auch gern Rad und ich lerne Boxen.
Rolli2000:	Wow! Boxen!
sugar-333:	Ja, _____!!! Aber ich kann noch nicht gut boxen. Keine Angst! ☺

KB 8c **7** **Ordnen Sie zu.**

STRUKTUREN

fast nie | oft | immer | ~~nie~~ | manchmal

100% ▬▬▬▬▬▬▬▬▬▬▬▬▬▬▬▬▬▬▬▬▬▬▬▬▬▬▬▬▬▬▬▬ 0%

a _____ b _____ c _____ d _____ e nie

KB 8c **8** **Ergänzen Sie a/ä oder e/ie.**

STRUKTUREN

a ■ Ich mache viel Sport. Ich spiele Fußball und fahre Ski. F__hrst du auch Ski?
  ▲ Sport? Nein. Ich l__se lieber. Und höre viel klassische Musik. Was l__st du so?
  ■ Ich l__se gern Krimis.

b ▲ Was macht ihr heute Abend?
  ■ Wir tr__ffen Carla.
  ▲ Tr__fft ihr auch Paul und Lisa?
  ■ Ja, wir gehen ins Kino.

BASISTRAINING

KB 8c **9** **Lesen Sie die Interviews.**

a Was passt am besten zu wem? Kreuzen Sie an.

	Musik	Natur	Sport	Filme
Jule		X	X	
Peter				

	Musik	Natur	Sport	Filme
Selina				
Hamed				

Freizeit – Spaß oder Langeweile?

Wir haben Jugendliche gefragt: Was ist dein Lieblingshobby?

Jule

Ich mache gern Ausflüge in die Berge. Frische Luft, die Natur ... da geht es mir einfach gut! Das finde ich schön. Fast immer treffe ich Freunde und wir gehen zusammen wandern. Im Sommer fahre ich oft Rad. An einen See oder so ... schwimmen. Ich bin gern draußen.

Peter

Ich bin einfach auch gern mal allein. Ich höre Musik oder ich lese ein Buch. Oder ich schaue Filme. Das macht mir auch total viel Spaß. Ich bin ein Filmfreak. Ich gehe auch sehr oft ins Kino oder sehe zu Hause eine DVD. Oft auch mit Freunden.

Selina

Meine Freundin und ich sind in einem Chor. Ich singe für mein Leben gern. Ich spiele auch Gitarre und höre sowieso sehr viel Musik. Ein Leben ohne Musik – das geht gar nicht!

Hamed

Singen, malen, Schach spielen – das ist alles nichts für mich! Ich mache total viel Sport. Ich fahre im Winter Ski. Im Sommer fahre ich viel Rad, jogge pro Tag eine Stunde. Zweimal pro Woche spiele ich Fußball in einem Verein. In den Ferien gehe ich surfen oder schwimmen.

b Kreuzen Sie an.

	richtig	falsch
1 Jule geht gern in den Bergen wandern.	○	○
2 Peter sieht immer allein Filme.	○	○
3 Selina macht viel Musik und hört fast nie Musik.	○	○
4 Hamed macht fast nie Sport.	○	○

KB 10 **10** **Ordnen Sie zu.**

~~Ja, natürlich.~~ | Nicht so gern. | Nein, das geht leider nicht. | Ja, klar. | Ja, gern. | Nein, tut mir leid.

● Gehen wir heute Abend ins Kino? Hast du Lust?

🙂

■ *Ja, natürlich*
■ _____
■ _____

🙁

▲ _____
▲ _____
▲ _____

LESEN

KOMMUNIKATION

Modul 3 60 | sechzig

TRAINING: SCHREIBEN

1 Linda sucht Freunde

a Lesen Sie Lindas E-Mail. Was wissen Sie über Linda? Markieren Sie die Informationen über Linda rot und ergänzen Sie das Profil.

FREUNDSCHAFTSBÖRSE *Finde neue Freunde in der ganzen Welt!*

Hallo,
ich heiße Linda und suche Freunde. Wer möchte mir schreiben?
Ich komme aus Kolumbien. Ich bin 27 Jahre alt und Krankenschwester von Beruf. Jetzt wohne ich in Hamburg und lerne Deutsch. Später möchte ich hier gern arbeiten. Meine Hobbys sind Singen, Gitarre spielen und Lesen. Am Wochenende fahre ich gern Fahrrad oder gehe im Park spazieren.
Schreibt mir bitte: Woher kommt Ihr und welche Sprachen sprecht Ihr? Wie alt seid Ihr? Welche Hobbys habt Ihr und was macht Ihr gern in der Freizeit?
Ich freue mich auf Eure Antworten!!! Schreibt mir!!!

Viele Grüße Linda

PROFIL
Name: Linda
Land:
Wohnort:
Alter:
Beruf:
Hobbys:
E-Mail: linda-ochoa@joki.com

b Lesen Sie noch einmal. Was möchte Linda wissen? Markieren Sie die Fragen blau.

TIPP: Sie beantworten eine E-Mail, einen Brief oder eine SMS. Lesen Sie den Text genau. Markieren Sie die Fragen und machen Sie dann Notizen zu Ihren Antworten.

2 Eine E-Mail schreiben

a Machen Sie Notizen für Ihre Antwort an Linda. Arbeiten Sie auch mit dem Wörterbuch.

Herkunft:
Sprachen:
Alter:
Hobbys:

b Was möchten Sie noch wissen? Notieren Sie auch Fragen an Linda.

Fragen an Linda:
Wie heißt Dein / Deine Lieblings...?
Hast Du ...?

c Schreiben Sie nun eine E-Mail an Lisa.

Hallo Linda,
ich heiße _____ und _____ Jahre alt.
Ich _____ aus _____ und spr_____.
_____
Meine Hobbys _____
und in der Freizeit _____
_____
_____
Ich freue mich auf Deine Antwort! Bis bald!
Viele Grüße

TEST

1 **Ergänzen Sie die Hobbys.**

a Hallo, ich heiße Eljesa. Meine Hobbys sind <u>Musik hören</u> (kusim nöher),

_____ (zannte) und _____ _____ (rendeuf refften).

b Hallo, ich bin Jan. Meine Hobbys sind _____ _____ (luaßfbl elisnep)

und _____ _____ (ard earnfh).

c Und wir sind Cora und Finnia. Wir _____ (senle) , _____ (trorognieeaff)

und _____ (ckaben) gern. _/7 PUNKTE

2 **Was macht Niklas in seiner Freizeit? Ergänzen Sie.**

sehr oft | nie | oft | ~~manchmal~~

Mo:	Fußball spielen, im Internet surfen
Di:	Fußball spielen
Mi:	im Internet surfen
Do:	Fußball spielen
Fr:	ins Kino gehen

Niklas geht <u>manchmal</u> (a) ins Kino.

_____ (b) surft er im Internet.

Er spielt_____ (c) Schach, aber er

spielt _____ (d)Fußball. _/3 PUNKTE

3 **Ergänzen Sie die Verben in der richtigen Form.**

a Du <u>kannst</u> gut backen. (können)

b Mein Sohn _____ nicht gern. (lesen)

c _____ du gern Auto? (fahren)

d _____ wir Fußball spielen? (können)

e _____ du heute deine Freunde?

(treffen) _/4 PUNKTE

4 **Schreiben Sie Sätze.**

a ■ <u>Ich kann nicht kommen.</u> (kommen/nicht/ich/kann)

b ■ _____? (hören/Musik/ein/bisschen/wir/können)

c ■ _____. (toll/wirklich/er/kochen/kann)

d ■ _____? (Tennis/könnt/ihr/spielen)

e ■ _____. (nicht/leider/kann/mein Freund/Ski fahren) _/4 PUNKTE

5 **Komplimente machen und sich bedanken. Ergänzen Sie.**

a ■ Sie können wirklich s<u>uper</u> schwimmen.
▲ H_____Dank!

b ■ Deine Augen sind so schön.
▲ Oh, d_____.

c ■ Wow! Du kannst t_____ backen.
▲ V_____ Dank.

d ■ Du kannst sehr g_____ tanzen.
▲ Danke s_____ ! _/6 PUNKTE

Wörter	Strukturen	Kommunikation
● 0–5 Punkte	● 0–4 Punkte	● 0–3 Punkte
○ 6–7 Punkte	○ 5–6 Punkte	○ 4 Punkte
● 8–10 Punkte	● 7–8 Punkte	● 5–6 Punkte

LERNWORTSCHATZ

1 Wie heißen die Wörter in Ihrer Sprache? Übersetzen Sie.

Freizeit und Hobbys
Ausflug der, ⸚e _____
Film der, -e _____
Freizeit die _____
Hobby das, -s _____
Kino das, -s _____
Lieblings-
  Lieblingsfilm der, -e _____

backen _____
besuchen _____
treffen, du
  triffst, er trifft _____
fotografieren _____
kochen _____
lesen, du
  liest, er liest _____
lieben _____
malen _____
Musik die _____
  Musik hören _____
Rad fahren,
  du fährst Rad,
  er fährt Rad _____
schwimmen _____
singen _____
spazieren gehen _____
spielen
  Fußball/Tennis/
  Gitarre spielen _____
tanzen _____

TIPP Lernen Sie Nomen und Verb zusammen.
Spaß machen
Freunde treffen/besuchen

Wie oft?
(fast) immer _____
oft _____
manchmal _____
nie _____

Danken
Vielen Dank / _____
Herzlichen Dank! _____

Auf eine Bitte reagieren
klar _____
natürlich _____
leider
  das geht
  leider nicht _____
leidtun: tut
  mir leid _____

Weitere wichtige Wörter
Auto das, -s _____
Gespräch das, -e _____
Internet das
  im Internet
  surfen _____
Natur die _____

Spaß machen
können
rauchen

gern _____
nicht so (gut) _____
Wie oft? _____

2 Welche Wörter möchten Sie noch lernen? Notieren Sie.

_____
_____
_____
_____
_____
_____

KB 4 **1 Freizeitaktivitäten**

WÖRTER

a Markieren Sie die Wörter.

LFEMPSCHWIMMBADLDHTPCBSMUSEUMVÜWBFRCCAFÉLZMSGWBORESTAURANT
LCGWVTKINONFAKFUEDISCOKTJWGKONZERTBWOVPTHEATERMKVJESBARLFJRBN

b Ergänzen Sie die Wörter aus a.

①
_____

④
das Schwimmbad

⑦
_____

②
_____

⑤
_____

⑧
_____

③
_____

⑥
_____

⑨
_____

KB 4 **2 Lesen Sie die E-Mails. Schreiben Sie die Sätze neu und beginnen Sie mit den markierten Wörtern.**

STRUKTUREN

Hallo Clara,
ich kann heute nicht in die Aurora-Bar
kommen. Ich habe leider noch einen
Termin mit meiner Chefin. Das tut mir sehr leid!
Ich habe am Wochenende Zeit. Du auch?
Viele Grüße
Tina

Hi Elias,
ich gehe heute Nachmittag ins
Schwimmbad. Kommst Du mit?
Grüße
Simon

Heute _____
_____
_____
_____
_____
_____
_____

KB 5 **3 Welche Zeit hören Sie? Ordnen Sie zu.**

▶ 1 55

HÖREN

Uhrzeit	15.30 Uhr	17.50 Uhr	11.20 Uhr	15.05 Uhr	10.15 Uhr
Gespräch					

BASISTRAINING

8

STRUKTUREN

KB 5 | **4** **Wie spät ist es? Ergänzen Sie.**

	Im Gespräch	Im Radio/Fernsehen
	Es ist ...	Es ist ...
a `09:55`	_fünf vor zehn._	_neun Uhr fünfundfünfzig._
b `14:30`		
c `17:10`		
d `20:15`		
e `11:45`		
f `07:05`		
g `15:50`		
h `16:35`		
i `09:25`		

KOMMUNIKATION

KB 7 | **5** **Ordnen Sie zu.**

Da kann ich leider nicht. | ~~Das weiß ich noch nicht.~~ | Ja, bis dann. |
Zwei Uhr ist okay. | Hm ... Ja, warum nicht? Wann denn?

■ Sag mal, was machst du am Freitag?

● _Das weiß ich noch nicht._

■ Fährst du mit mir Rad? Hast du Lust?

● _____

■ Am Vormittag.

● _____

Aber am Nachmittag habe ich Zeit.

■ Gut. Treffen wir uns um vier Uhr?

● Das ist zu spät. Kannst du vielleicht auch um zwei?

■ _____

● Gut, dann bis Freitag.

■ _____ Tschüs!

WÖRTER

KB 7 | **6** **Ergänzen Sie die Wochentage und vergleichen Sie.**

Deutsch	Englisch	Meine Sprache oder andere Sprachen
Montag	Monday	
	Tuesday	
Mittwoch	Wednesday	
	Thursday	
	Friday	
	Saturday	
	Sunday	

KB 7 **7** **Ergänzen Sie die Tageszeiten.**

WÖRTER

 A   B   C

der Morgen _____ _____

 D   E   F

_____ _____ _____

KB 7 **8** **Fridas Tag. Ordnen Sie zu und ergänzen Sie die Tageszeiten.**

STRUKTUREN

 A B   C

 D  E  F

Ⓓ *Am Nachmittag* trifft sie ihre Oma im Café.
◯ _____ geht sie ins Kino.
◯ _____ isst sie.
◯ _____ trinkt sie Kaffee.
◯ _____ geht sie in die Disco.
◯ _____ schwimmt sie.

KB 7 **9** **Was machen Sie am nächsten Sonntag?**

Zeichnen Sie vier Aktivitäten und Uhren wie in 8.
Tauschen Sie mit Ihrer Partnerin / Ihrem Partner.
Schreiben Sie Sätze zu den Bildern.

KB 7 **10** **Hören Sie das Gespräch.**

▶ 1 56

HÖREN

a Wo sind Lukas und Susanna? Kreuzen Sie an.

◯ im Kino ◯ in der Kneipe ◯ im Theater

die Kinokarte

b Hören Sie noch einmal. Was ist richtig? Kreuzen Sie an.

1 Lukas hat zwei ◯ Kinokarten. ◯ Theaterkarten.
2 Susanna geht ◯ gern ◯ nicht so gern ins Theater.
3 Lukas hat zwei Karten für ◯ Samstagnachmittag. ◯ Samstagabend.
4 Susanna geht am Samstag ◯ um vier Uhr ◯ um sieben Uhr ins Kino.
5 Sie treffen sich ◯ um sieben ◯ um Viertel vor acht in der Bar im Stadttheater.

TRAINING: LESEN

1 **Lesen Sie die Aufgaben und die Anzeigen.**

a Markieren Sie die wichtigen Informationen in der Aufgabe und in den Anzeigen: **Was? Wann? Wo?**

b Welche Anzeige passt? Kreuzen Sie an.

> **TIPP** Sie suchen in Anzeigen nach einer bestimmten Information. Markieren Sie wie im Beispiel. So finden Sie die Information schneller.

A Sie suchen Freunde für Freizeitaktivitäten am Wochenende.

1 ○
Ich gehe oft am Abend schwimmen. Allein macht es keinen Spaß. ☹ Wer kommt mit? sara33@o2.de

2 ○
Ich spiele gern Tennis, aber leider nicht so gut. Wer spielt mit mir? Nur Samstag oder Sonntag. Tel: 030-445 76 81

B Sie suchen einen Job im Büro.

1 ○
Sie lieben die Alpen? Dann sind Sie bei uns richtig! Hotel *Bergblick* sucht Kellner/Kellnerin für Hotelbar. Di–So 19–24 Uhr info@Hotel-Bergblick.at

2 ○
HOTEL AUGUSTA IN INNSBRUCK sucht für das Sekretariat Aushilfe für 10–15 Stunden pro Woche, am Vormittag. Wir freuen uns auf Ihren Anruf: +43-256-59 87-0

C Sie sind neu in der Stadt und brauchen noch Möbel.

1 ○
Verkaufe supergünstig: Bett, 120 cm breit, 70 € und Sofa, rot, aus Leder, nur 150 €. Herricht, Tel. 384 95 85 90, ab 20 Uhr

2 ○
Student sucht günstige Möbel: Bett, Tisch, Stühle. Bitte anrufen unter: 1076–84 84 99 33 (Mohsin)

D Sie können nicht so gut schwimmen und suchen einen Schwimmkurs. Sie arbeiten am Vormittag.

1 ○
Schwimmbad Dessauer Straße Neue Kurse ab sofort! Für Kinder und Erwachsene.

Kurs A Mo + Mi 10–11 Uhr
Kurs B Nur für Kinder! Di + Do 16–17 Uhr

2 ○
Stadtbad Mittelbach Spaß und Spiel für die ganze Familie! **NEU!** jetzt auch Schwimmkurse: Mittwoch und Donnerstag von 16 bis 17 Uhr Dienstag und Freitag von 18 bis 19 Uhr

1 Ergänzen Sie die Orte.

WÖRTER

Ich gehe schon um 8 Uhr ins Schwimmbad (a). Schwimmen macht wirklich Spaß. Um 11 Uhr treffe ich meine Freundin im _____ (b). Wir trinken zusammen einen Kaffee. Am Nachmittag gehen wir ins _____ (c), aber ich finde den Film nicht so gut. Dann besuchen wir ein _____ (d), die Skulpturen sind sehr schön und modern. Jetzt ist es 23 Uhr. Meine Freunde und ich tanzen in einer _____ (e).

_ / 4 PUNKTE

2 Ergänzen Sie.

WÖRTER

Die _____ hat 7 _____. Sie heißen Montag, _____, _____, _____, _____, _____, _____.

_ / 4 PUNKTE

3 Ergänzen Sie die Uhrzeit und die Tageszeit.

WÖRTER

	a 07:45	b 10:50	c 15:15	d 19:25	e 23:30
Im Gespräch	Viertel vor acht				
Im Radio / Fernsehen					dreiundzwanzig Uhr dreißig
Tageszeit		Vormittag			

_ / 6 PUNKTE

4 Schreiben Sie die Sätze neu.

STRUKTUREN

Hallo Marion,
wir haben leider keine Zeit.
Thomas spielt heute Vormittag Tennis.
Ich treffe um 14 Uhr Anna.
Wir gehen am Abend ins Kino.
Können wir vielleicht am Sonntag fahren?

Leider haben wir keine Zeit. _____
Heute _____.
Um 14 Uhr _____.
Am Abend _____.
Vielleicht _____?

5 Ergänzen Sie um, am oder in.

STRUKTUREN

_ / 4 PUNKTE

a ■ Wann gehen wir ins Fitnessstudio?   ▲ Am Donnerstagabend.
b Mein Freund ist Arzt. Er arbeitet oft _____ der Nacht.
c Können wir _____ Sonntag nach Graz fahren?
d Meine Eltern kommen _____ Sonntag _____ 11:30 Uhr.

_ / 4 PUNKTE

6 Ergänzen Sie das Telefongespräch.

KOMMUNIKATION

Wann denn? | Da habe ich Zeit. | Hast du am Freitag Zeit? | Leider kann ich nicht. | Und am Samstag?

■ Hallo, Paul. Hier ist Annalena. _____ (a) Vielleicht können wir ins Kino gehen.
▲ _____ (b) Ich arbeite am Freitag.
■ _____ (c)
▲ Samstag ist gut. _____ (d) _____ (e)
■ Um 20.30 Uhr.

_ / 5 PUNKTE

Wörter	Strukturen	Kommunikation
● 0–7 Punkte	● 0–4 Punkte	● 0–2 Punkte
○ 8–11 Punkte	○ 5–6 Punkte	○ 3 Punkte
● 12–14 Punkte	● 7–8 Punkte	● 4–5 Punkte

www.hueber.de/menschen-hier/lernen

LERNWORTSCHATZ

1 **Wie heißen die Wörter in Ihrer Sprache? Übersetzen Sie.**

In der Stadt
Ausstellung die, -en _____
Bar die, -s _____
Café das, -s _____
Disco die, -s _____
Kneipe die, -n _____
Konzert das, -e _____
Museum das,
  Museen _____
Restaurant
  das, -s _____
Schwimmbad
  das, ⸚er _____
Theater das, - _____

Uhrzeiten
Uhr die, -en _____
um ... (vier/
  halb sechs) _____
Es ist 5/10 vor/
  nach ... _____
halb ... _____
Viertel vor/nach ..._____
Bis vier! / Bis dann! _____

Tageszeiten
Morgen der, - _____
Vormittag der, -e _____
Mittag der, -e _____
Nachmittag der, -e _____
Abend der, -e _____
Nacht die, ⸚e _____

E-Mail/Brief
Liebe ... / Lieber ... _____
Liebe Grüße /
Herzliche Grüße _____

Die Woche
Tag der, -e _____
Woche die, -n _____
Montag der, -e _____
Dienstag der, -e _____
Mittwoch der, -e _____
Donnerstag
  der, -e _____
Freitag der, -e _____
Samstag der, -e _____
Sonntag der, -e _____

Weitere wichtige Wörter
Essen das, - _____
Fernsehen das _____
Kaffee der _____
Radio das, -s _____

sehen _____
wissen _____

bald _____
besonders _____
höflich ↔
  unhöflich _____
morgen _____
noch
  noch nicht _____
spät _____
vielleicht _____

Warum (nicht)? _____
Keine Lust.
  Lust auf ...? _____
Gute Idee!
  Idee die, -n _____

> Lernen Sie Wörter – wenn
> möglich – als Reihe.
>
> Montag – Dienstag – Mittwoch – ...
> Vormittag – Mittag – Nachmittag – ...

2 **Welche Wörter möchten Sie noch lernen? Notieren Sie.**

_____

_____

Ich möchte was essen, Onkel Harry.

1 Essen und Trinken. Wie heißen die Wörter auf Deutsch und in Ihrer oder in einer anderen Sprache? Ergänzen und vergleichen Sie.

WÖRTER

a
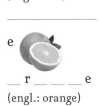
F i s c h
(engl.: fish)
_____

b

_ u _ _ _ _ n
(engl.: cake)
_____

c

_ a _ _ f _ _ _ _
(engl.: potato)
_____

d

_ _ _ e
(engl.: tea)
_____

e

_ r _ _ _ e
(engl.: orange)
_____

f

_ _ t _ _ r
(engl.: butter)
_____

g

A _ _ _ _ l
(engl.: apple)
_____

h

_ _ l _ t
(engl.: lettuce)
_____

i

_ o _ _ _ e
(engl.: tomato)
_____

j

_ _ _ l _ h
(engl.: milk)
_____

k

_ _ _ h _ _ o _ _ _ _ _
(engl.: chocolate)
_____

l
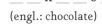
_ _ r _ _ _
(engl.: bread)
_____

2 Lebensmittel

a Zeichnen Sie drei Lebensmittel auf Kärtchen.

b Tauschen Sie mit Ihrer Partnerin / Ihrem Partner. Sie/Er schreibt das deutsche Wort.

die Banane

3 Ergänzen Sie.

STRUKTUREN

	mögen	essen
ich	mag	
du		
er/sie		

	mögen	essen
wir		essen
ihr		
sie/Sie		

4 Was mag Jan?

STRUKTUREN

Was isst und trinkst du gern zum Frühstück?
Name: Jan Weißmüller

Brötchen	☒ ☹	Schinken	☺ ☒	Müsli	☒ ☹	Kuchen	☒ ☹
Eier	☺ ☒	Tee	☒ ☹	Milch	☺ ☒	Obst	☒ ☹
Käse	☒ ☹	Kaffee	☒ ☹	Tomaten	☒ ☹	Salat	☺ ☒
Wurst	☺ ☒						

Jan mag keine Eier, _____
Jan mag Brötchen, _____

BASISTRAINING

5 **Ordnen Sie zu.**

mag ich auch gern | Isst du auch gern | isst du gern | esse ich sehr gern | ~~mögt ihr~~

- Und was *mögt ihr* zum Frühstück?
- ▲ Hm ... ich weiß nicht.
- Julia, was _____ zum Frühstück?
- ● Also, Brötchen mit Käse _____!
  Und Müsli mit Obst _____ zum
  Frühstück.
- _____ Wurst oder Schinken?
- ● Ja, aber nicht zum Frühstück.
- Gut, dann brauchen wir noch Obst und Käse.

6 **Ergänzen Sie *schon* oder *erst*.**

a ■ Was ... es ist *schon* fünf vor vier?
  ▲ Warum? Was ist los?
  ■ Ich treffe Claudia um vier am Marktplatz.

b ■ So, ich gehe jetzt. Heute kommen meine Schwester und ihr Mann zum Essen.
  ▲ Wann kommen sie denn?
  ■ Um sieben Uhr.
  ▲ Aber es ist doch _____ fünf. Da hast du doch noch viel Zeit!

c ■ Was, du gehst _____ nach Hause? Es ist doch _____ elf Uhr.
  ▲ Ja, aber ich fahre morgen um sechs Uhr nach Hamburg.
  ■ Okay, dann gute Nacht und vielen Dank für deinen Besuch.

7 **Ergänzen Sie „möchte" in der richtigen Form.**

- Was *möchtet* (a) ihr?
- ▲ Wir _____ (b) bitte zwei Brötchen.
- Mit Schinken oder Käse?
- ▲ Ich _____ (c) bitte ein Käsebrötchen.
  Und du, Jonas, was _____ (d) du?
- ● Ein Schinkenbrötchen bitte.

8 **Welche Antwort passt? Kreuzen Sie an.**

a Guten Appetit!
  ○ Nein, danke.
  ○ Danke, gleichfalls.

b Mögen Sie Fisch?
  ○ Bitte nein.
  ○ Nein, nicht so gern.

c Möchten Sie noch Kuchen?
  ○ Ja, ebenfalls.
  ○ Ja, gern.

d Wie schmeckt die Suppe?
  ○ Sehr gut, danke.
  ○ Gut. Bitte sehr.

BASISTRAINING

KB 6

9 Wie heißen die Wörter?

WÖRTER

TERMIN | BROT | SALAT | BRÖTCHEN | ~~LAMPE~~ | OBST | STUHL | KÄSE | WURST | KALENDER
~~TISCH~~ | BÜRO

a

die Tischlampe

c

_____

e

_____

b

_____

d

_____

f

_____

KB 7

10 Lesen Sie die Speisekarte.

LESEN

a Ordnen Sie zu.

Hauptgerichte | Desserts | Vorspeisen | ~~Getränke~~

b Was essen und trinken die Personen?
Markieren Sie in der Speisekarte und
schreiben Sie die Rechnung.

RESTAURANT _Zur schönen Aussicht_

Rechnung

Fisch mit Reis   6,80 €

RESTAURANT

Zur schönen Aussicht

Öffnungszeiten: Dienstag – Sonntag 11 bis 24 Uhr
Montag Ruhetag

_____:

Kartoffelsuppe mit Brot	3.80 €
Zwiebelsuppe mit Käse überbacken	3.50 €
Tomatensuppe mit Sahnehäubchen	3.80 €

_____:

Schweinebraten mit Knödel	9.80 €
Fisch mit Reis	6.80 €
Wiener Schnitzel mit Kartoffelsalat	9.80 €
Großer Salat mit Schinken	7.90 €

_____:

Warmer Apfelstrudel mit Vanilleeis	4.80 €
Obstsalat	
gemischtes Eis	3.50 €
Schokoladenkuchen hausgemacht	2.50 €

Getränke:

Bier 0.3 l	2.80 €
Mineralwasser 0.4 l	2.80 €
Apfelsaft 0.4 l	3.20 €
Orangensaft 0.4 l	3.20 €
Cola 0.2 l	2.80 €

1 **Sie sprechen mit Freunden über das Thema „Essen und Trinken".**

a Suchen Sie Wörter.

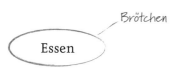

> **TIPP**
> Machen Sie sich Notizen zu wichtigen Themen (z.B.: Essen, Freizeit …). Sammeln Sie Wörter zu diesen Themen und überlegen Sie mögliche Fragen. So fühlen Sie sich sicher.

b Finden Sie Fragen.

> Was trinkst du immer zum Frühstück?
> Isst/Trinkst du gern …?
> Magst du …?
> Was ist dein Lieblingsessen?

2 **Sprechen Sie mit Ihrer Partnerin / Ihrem Partner. Verwenden Sie dabei die Kärtchen.**

Thema: Essen und Trinken	Thema: Essen und Trinken	Thema: Essen und Trinken
Tee	*Käse*	*Lieblingsessen*

Thema: Essen und Trinken	Thema: Essen und Trinken	Thema: Essen und Trinken
Salat	*Frühstück*	*Kuchen*

■ Trinkst du gern Tee?   ▲ Was isst du gern zum Frühstück?
▲ Ja, sehr gern!   ■ Ich esse gern Müsli und …

3 **Machen Sie Notizen zu den Fragen. Sprechen Sie dann mit Ihrer Partnerin / Ihrem Partner. Arbeiten Sie auch mit dem Wörterbuch.**

a Was isst und trinkt man in Ihrem Land oft zum Frühstück?

> Italien: trinken — Kaffee mit Milch, Cappuccino
> essen — „Cornetti": Croissants mit Marmelade oder Pudding

> In Italien trinken wir Kaffee mit Milch oder Cappuccino zum Frühstück. Wir essen sehr oft Cornetti, das sind …

b Was sind typische Gerichte in Ihrem Land?

> Syrien: Malubi — Reis mit Fleisch und Gemüse, mit Joghurt
> Tabule — Salat aus Tomaten, Petersilie …

> In Syrien haben wir viele typische Gerichte, zum Beispiel „Malubi". Das ist Reis mit Fleisch und Gemüse. Wir essen das mit Joghurt. Und „Tabule", das ist ein Salat aus …

TEST _____

WÖRTER

1 **Ordnen Sie zu.**

Ei | Orangen | Suppe | Braten | ~~Kuchen~~ | Tee | Äpfel | Zitronen | Sahne

a ■ Guten Tag. Was möchten Sie?
▲ Ein Stück _Kuchen_ mit _____ bitte.

b ■ Mama, können wir einen Obstsalat machen?
▲ Gute Idee! Wir brauchen _____, _____ und _____ .

c ■ Ich esse gern Müsli zum Frühstück, und du?
▲ Ich esse immer Brot mit Wurst und Käse und manchmal auch ein _____.

d ■ Hier ist der _____ mit Salat. Guten Appetit!

e ▲ Ich koche eine _____ mit Kartoffeln und Tomaten.

f ■ Möchten Sie etwas trinken? ▲ Oh ja! Einen _____ bitte.   _ / 8 PUNKTE

STRUKTUREN

2 **Wie heißen die Artikel? Bilden Sie neue Wörter.**

a	_das_ Obst	_____ Kuchen	→ _____ _____
b	_____ Kartoffel	_____ Brötchen	→ _____ _____
c	_____ Apfel	_____ Suppe	→ _____ _____
d	_____ Schinken	_der_ Salat	→ _der Obstsalat_

_ / 9 PUNKTE

STRUKTUREN

3 **Ergänzen Sie die Verben in der richtigen Form.**

a Was i_sst_ du gern zum Frühstück?

b Mö_____ ihr einen Kaffee?

c Melanie ma_____ keinen Braten.

d Ich es_____ sehr oft Schokolade.

e Mö_____ Sie einen Salat mit Schinken und Ei?   _ / 4 PUNKTE

KOMMUNIKATION

4 **Was ist richtig? Kreuzen Sie an.**

a ■ Möchten Sie ein Eis?
○ ▲ Ja, gleichfalls!   ○ ▲ Oh ja, bitte!   ○ ▲ Nein, bitte!

b ■ Guten Appetit!
○ ▲ Nein, gleichfalls!   ○ ▲ Danke, ebenfalls!   ○ ▲ Ja, gleichfalls!

c ■ Hier ist die Suppe. Möchten Sie auch einen Salat?
○ ▲ Nein, bitte!   ○ ▲ Danke, bitte!   ○ ▲ Nein, danke!

d ■ Frühstücken wir zusammen?
○ ▲ Ja, gern!   ○ ▲ Ja, gleichfalls!   ○ ▲ Ja, danke!

e ■ Magst du Fisch?
○ ▲ Bitte, nein!   ○ ▲ Nein, gern.   ○ ▲ Nein, nicht so gern.

_ / 5 PUNKTE

Wörter		Strukturen		Kommunikation	
●	0–4 Punkte	●	0–6 Punkte	●	0–2 Punkte
○	5–6 Punkte	○	7–10 Punkte	○	3 Punkte
●	7–8 Punkte	●	11–13 Punkte	●	4–5 Punkte

LERNWORTSCHATZ

9

1 Wie heißen die Wörter in Ihrer Sprache? Übersetzen Sie.

Lebensmittel

Apfel der, ̈ _____

Braten der, - _____

Brötchen das, - _____

Brot das, -e _____

Butter die _____

Ei das, -er _____

Eis das _____

Fisch der, -e _____

Fleisch das _____

Käse der _____

Kartoffel die, -n _____

Kuchen der, - _____

   das Stück Kuchen _____

Milch die _____

Obst das _____

Orange die, -n _____

Reis der _____

Sahne die _____

Salat der, -e _____

Schinken der _____

Schokolade die, -n _____

Suppe die, -n _____

Tee der, -s _____

Tomate die, -n _____

Wurst die, ̈e _____

Zitrone die, -n _____

Zwiebel die, -n _____

Rund ums Essen

Durst der _____

  Durst haben _____

Frühstück

  das, -e _____

Hunger der _____

  Hunger haben _____

Kühlschrank

  der, ̈e _____

essen, du isst,

  er isst _____

frühstücken _____

mögen, du

  magst, er mag _____

schmecken _____

trinken _____

Guten Appetit

Gleichfalls! /

  Ebenfalls! _____

Weitere wichtige Wörter

Einladung die,

  -en _____

Speisekarte die,

  -n _____

Wochenende

  das, -n _____

möchten _____

kennen _____

etwas _____

erst _____

schon _____

ja, gern / ja, bitte ↔

  nein, danke _____

> **TIPP**
> Lernen Sie Wörter in Gruppen.
>
> die Orange — der Apfel
> Obst
> die Zitrone

2 Welche Wörter möchten Sie noch lernen? Notieren Sie.

_____

_____

IM ALLTAG Produktinformationen verstehen

1 Welche Informationen finden Sie auf dem Produkt? Ordnen Sie zu. Arbeiten Sie auch mit dem Wörterbuch.

Lagerung | ~~Inhaltsstoffe~~ | Haltbarkeit

mindestens haltbar bis
03.2014

_____

Was ist in dem Produkt?

kühl und dunkel lagern

_____

Bis wann kann ich das
Produkt essen/trinken?

Joghurt 1,5 % Fett, Zucker,
Fruchtanteil mind. 10 %   Inhaltsstoffe

Wohin kommt das Produkt?

2 Was kauft Ben? Kreuzen Sie an.

a Ben isst gern Pizza, aber nicht
mit Fleisch oder Wurst.

1 ○
Tomaten, Zwiebeln, Mais, Paprika Champignons
*** im Tiefkühlfach

2 ○
Tomaten, Zwiebeln, Mais Schinken

b Ben trinkt gern Saft,
aber nicht mit Zucker.

1 ○
100% Apfelsaft
Apfel Saft

2 ○
Orangensaft mind. 50% Wasser, Zucker
Orangen Saft

3 Ben kommt aus dem Supermarkt. Was kommt in den Kühlschrank? Notieren Sie.

a │ bei +8°C mind. haltbar
  │ bis 10.05.20..

c │ aus pasteurisierter Milch,
  │ 40 % Fett
  │ kühl lagern

b │ dunkel lagern,
  │ ungeöffnet
  │ haltbar 10/20..

d │ gekühlt mindestens
  │ haltbar bis 5.9.20..

a, _____

WORTSCHATZ

Fett das, -e
  40 % (Prozent) Fett
gekühlt (kühlen)
  gekühlt mindestens haltbar bis
geöffnet ≠ ungeöffnet
ungeöffnet = nicht geöffnet
haltbar sein
Haltbarkeit die
Inhaltsstoff der, -e
kühl
  kühl lagern
lagern
Lagerung die
mindestens (mind.)
  mindestens haltbar bis
Zucker der

IN DER FAMILIE Elternabend in der Schule

1 Über welche Themen spricht die Lehrerin mit den Eltern? Was meinen Sie?
Sammeln Sie.

Klassenfahrt

Elternabend

2 Lesen Sie den Text. Was ist das? Kreuzen Sie an.

> Liebe Eltern der Klasse 3c,
> am 21.09. um 18 Uhr findet unser
> nächster Elternabend statt.
> Unsere Themen sind diesmal:
> – die Klassenfahrt im Juni

○ eine Einladung zur Klassenfahrt
○ eine Einladung zum Elternabend

▶ 1 57 **3** Über welche Themen möchte die Lehrerin sprechen?
Hören Sie und kreuzen Sie an.

○ Klassenfahrt   ○ Besuch im Kino   ○ Elterncafé
○ Besuch im Museum   ○ Schultheater   ○ Schwimmunterricht

58–60 **4** Was ist richtig? Hören Sie weiter und kreuzen Sie an.

a Die Kinder gehen   ○ am Montag   ○ am Mittwoch   ins Museum.

b Die Kinder brauchen an dem Tag   ○ nur die Bücher.   ○ nur Essen und Getränke.

c Die Eltern können im Elterncafé   ○ andere Eltern   ○ die Lehrer   treffen.

d Die Eltern können   ○ am Nachmittag   ○ am Vormittag   ins Elterncafé gehen.

e Die Kinder gehen immer   ○ am Donnerstag   ○ am Dienstag   schwimmen.

f Die Eltern können   ○ auch ins Schwimmbad   ○ nicht ins Schwimmbad
kommen.

WORTSCHATZ

Elternabend der, -e
Klasse die, -n
Klassenfahrt die, -en
Unterricht der
  Schwimmunterricht der

siebenundsiebzig | 77 Modul 3

IM BERUF *Ankündigungen verstehen*

1 Lesen Sie die Texte. Wo finden Sie diese Texte? Ordnen Sie zu.

○ im Internet ○ in einer Firma ○ in der Zeitung

A

Liebe Kolleginnen und Kollegen,

auch in diesem Jahr möchten wir wieder
mit Ihnen Weihnachten feiern.

Alle sind herzlich eingeladen
zu unserer Weihnachtsfeier am 19.12.
um 16 Uhr in der Kantine.

Die Firmenleitung

B **PFLEGEDIENST ROSE**

Sie suchen einen Job?
Sie arbeiten gern
mit Menschen?
Auf unserem Informa-
tionsabend am 26.3. um
18 Uhr möchten wir
Ihnen die Pflegeberufe
(Krankenpflege, Haus-
pflege, Altenpflege)
vorstellen.
Kommen Sie in unser
Pflegeheim in der
Sodener Straße 10,
Raum 112 (1. Stock).

Wir freuen uns auf Sie!
Ihr Team vom
Pflegedienst Rose

C

Agentur für Arbeit Informationsveranstaltungen

Zeit	Titel	Thema	Ort
10.5.20.. 10–12 Uhr	Arbeitslos – was jetzt?	Stellensuche im Internet	Agentur für Arbeit Lindenallee 114, Raum 231

2 Überfliegen Sie die Texte in 1. Welcher Text passt? Ordnen Sie zu.

○ Wie sucht man eine neue Stelle? Das kann man hier lernen.
○ Hier feiern die Kollegen in einer Firma.
○ Hier bekommt man Informationen über Berufe.

3 Lesen Sie die Texte noch einmal.

a Markieren Sie die Informationen: Was? Wann? Wo?

b Ergänzen Sie die Tabelle.

	Was?	Wann?	Wo?
A		am ... um ...	
B	Informationsabend		
C	Informationsveranstaltung		

WORTSCHATZ

Feier die, -n
  Weihnachtsfeier die
feiern
  Weihnachten feiern
Leitung die, -en
  Firmenleitung die
Pflege die
pflegen
  Altenpflege die
  Hauspflege die
  Krankenpflege die
Pflegedienst der, -e
Pflegeberuf der, -e
Pflegeheim das, -e

WIEDERHOLUNGSSTATION: WORTSCHATZ

1 **Wie heißen die Tage?**

   a Diese Tage beginnen mit einem M: *Mittwoch,* _____

   b Diese Tage haben 7 Buchstaben: _____

   c Diese Tage beginnen mit einem D: _____

2 **Wie geht es weiter? Ordnen Sie zu.**

Mittag | halb sieben | Vormittag | immer | Nacht | Viertel vor sieben |
oft | Abend | Viertel nach sieben | Nachmittag | ~~manchmal~~

   a nie – *manchmal* – _____ – _____

   b Morgen – _____ – _____ – _____ – _____ – _____

   c _____ – _____ – sieben – _____

3 **Was machen die Personen? Schreiben Sie.**

Lösungswort

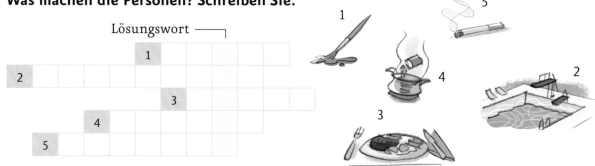

4 **Was passt nicht? Streichen Sie das falsche Wort durch.**

   a Kuchen – Schokolade – ~~Salat~~ – Eis   c Brötchen – Orange – Zitrone – Apfel

   b Schinken – Sahne – Wurst – Braten   d Kartoffel – Tomate – Zwiebel – Käse

5 **Welcher Ort passt? Ordnen Sie zu.**

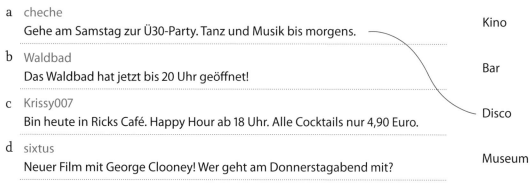

   a cheche
      Gehe am Samstag zur Ü30-Party. Tanz und Musik bis morgens.   Kino

   b Waldbad
      Das Waldbad hat jetzt bis 20 Uhr geöffnet!   Bar

   c Krissy007
      Bin heute in Ricks Café. Happy Hour ab 18 Uhr. Alle Cocktails nur 4,90 Euro.   Disco

   d sixtus
      Neuer Film mit George Clooney! Wer geht am Donnerstagabend mit?   Museum

   e joschasauer
      Ich sehe mit Michelle die Bilder von „Picasso und Co". Ist super!!   Schwimmbad

WIEDERHOLUNGSSTATION: GRAMMATIK

1 **Was macht Paul diese Woche? Schreiben Sie.**

MO	DI	MI	DO	FR	SA	SO
20:30 Kino mit Jan	Mittag: Essen mit Peter	Abend: Treffen Juliane	10:30 Mails schreiben	17:00 Tennis mit Ben	11:00 Rad fahren mit Susi	lange schlafen ☺ Abend: DVD sehen

Am Montag geht Paul um halb neun mit Jan ins Kino. Am Dienstagmittag ...

2 **Ergänzen Sie die Verben im Chat in der richtigen Form.**

CARLOS 1704 Deutsche Freunde gesucht!
Hallo, ich bin Carlos aus Barcelona und ich _spreche_ Englisch, Deutsch und natürlich Spanisch. Ich mag Sport. Und ihr? (sprechen)

TS Hallo Carlos! Ich bin Teresa aus Salzburg. Ich mache auch viel Sport und ich lese gern. _____ du gern Ski? _____ du auch gern Bücher? (fahren – lesen)

CARLOS 1704 Nein, ich _____ keine Bücher. Tut mir leid ☺. Aber ich habe viele DVDs. _____ du auch gern Filme? (lesen – sehen)

TS Jaaaaaaa, sehr gern. Ich habe nicht viele DVDs. Aber ich gehe oft mit Freunden ins Kino. Wo _____ du denn deine Freunde? Auf dem Sofa zu Hause mit vielen DVDs ☺? (treffen)

CARLOS 1704 ... ☹

TS Entschuldigung. Hey, _____ du jetzt nicht mehr mit mir? (sprechen)

CARLOS 1704 Doch, Teresa, natürlich. Sorry.

3 **Schreiben Sie Sätze. Beginnen Sie mit dem markierten Wort.**

a _Am Samstag möchte ich gern in die Disco gehen._ gehen – am Samstag – in die Disco – ich – möchten – gern

b _____? du – kommen – können – auch

c _____. ich – leider – können – kommen – nicht

d _____. ich – am Wochenende – fahre – nach Wien

4 **Ergänzen Sie die Verben.**

möchte | ~~magst~~ | Möchtest | magst

a ■ _Magst_ du auch einen Orangensaft?
   ▲ Nein, danke. Ich _____ jetzt nichts trinken.
b ■ Hallo, Emma, du _____ doch die Gruppe Wise Guys, oder?
   ▲ Ja klar. Warum?
   ■ Ich habe für das Konzert am Freitag zwei Tickets und Christian hat keine Zeit. _____ du mitkommen?
   ▲ Sehr gern! Super!

Wandernder Satzakzent – Lektion **7** _____

▶161 **1 Hören Sie und sprechen Sie nach.**

<u>Spielen</u>
<u>Schach</u> spielen
Ich kann <u>Schach</u> spielen.
Ich kann <u>gut</u> Schach spielen.
Ich kann <u>sehr</u> gut Schach spielen.

2 Lesen Sie noch einmal Übung 1 und kreuzen Sie an: Was ist richtig?

> **Der Satzakzent ist**
> ○ immer auf dem letzten Wort, zum Beispiel: Ich kann gut <u>singen</u>.
> ○ auf der wichtigen Information: Ich kann <u>gut</u> Schach spielen. (Ich kann nicht gut Gitarre, Fußball … spielen.)

▶162 **3 Hören Sie und markieren Sie den Satzakzent.**

a ■ Was machst du in der <u>Freizeit</u>? ↘
  ▲ Ich höre gern <u>Musik</u>. ↘

b ■ Hörst du gern Musik? ↗
  ▲ Oh ja. ↘ Ich liebe Musik. ↘

c ■ Singst du gern? ↗
  ▲ Oh ja. ↘ Singen macht Spaß! ↘
  ■ Und kannst du auch singen? ↗
  ▲ Natürlich kann ich singen! ↘ Hör zu: …

▶163 Hören Sie noch einmal und sprechen Sie nach.

Unbetontes „e" – Lektion **8** _____

▶164 **1 Hören Sie und markieren Sie den Wortakzent.**

<u>Mor</u>gen ○ – Abend ○ – Essen ⊗ – Viertel ○ – sieben ○ – Museum ○ – gehen ○

Hören Sie noch einmal. Wo hören Sie das „e" gut? Kreuzen Sie an.

2 Was ist richtig? Kreuzen Sie an.

> **In betonten Silben (Mus<u>eu</u>m) hört man das „e" gut.**
> ○ Ja. ○ Nein.
> **In nicht betonten Silben (V<u>ie</u>rtel) hört man das „e" gut.**
> ○ Ja. ○ Nein.

▶165 **3 Hören Sie.**

a ▲ Gehen wir morgen Abend essen? ↗
  ■ Wann? ↘
  ▲ Um Viertel vor sieben. ↘
  ■ Gute Idee. ↘

b ▲ Wie spät ist es? ↘
  ■ Viertel vor zehn. ↘ Warum? ↘
  ▲ Dann können wir ins Museum gehen. ↘ Um zehn! ↘
  ■ Ach nein. ↘ Keine Lust. ↘

▶166 Hören Sie noch einmal und sprechen Sie nach.

TRAINING: AUSSPRACHE

Wortakzent bei Komposita – Lektion **9**

▶ 1 67 **1** **Hören Sie und markieren Sie den Wortakzent.**

    a Kar<u>to</u>ffel – S<u>a</u>lat – Kar<u>to</u>ffelsalat
    b Käse – Brötchen – Käsebrötchen
    c Zwiebel – Suppe – Zwiebelsuppe
    d Obst – Kuchen – Obstkuchen
    e Zitrone – Eis – Zitroneneis

▶ 1 68 **Hören Sie noch einmal und sprechen Sie nach.**

2 **Suchen Sie im Kursbuch (im Wörterbuch, in der alphabetischen Wortliste) fünf weitere Wörter. Sprechen Sie die Wörter. Achten Sie auf den Wortakzent.**

SELBSTEINSCHÄTZUNG *Das kann ich!*

Ich kann jetzt ...

... Komplimente machen und mich bedanken: L07
  ▲ Du kannst _____ / _____ Gitarre spielen!
  ■ _____ / _____ Dank!

... über Hobbys sprechen: L07
  ▲ _____ sind deine Hobbys? ■ Meine Hobbys sind _____ und _____.
  ● Was _____ du in der Freizeit?
  ▼ Ich _____ gern.

... um etwas bitten: L07
  ▲ Kann ich _____ ?
  ■ ☺ _____ . ☹ _____ .

... mich verabreden: L08
  ▲ _____ Zeit? ■ ☺ Ja, _____ /
  ☹ Nein, _____ / ☺ _____ /
  _____ .

... einen Vorschlag machen/annehmen/ablehnen: L08
  ▲ _____ wir _____ ?
  ■ ☺ Gute _____ . / ☹ Tut _____ . Ich _____ .

... nach der Uhrzeit fragen und darauf antworten: L08
  ▲ Wie _____ ?
  ■ _____ . `14:30`

... bei Absagen mein Bedauern ausdrücken: L08
  _____ kann ich nicht kommen. /
  _____ . Ich habe keine Zeit.

SELBSTEINSCHÄTZUNG *Das kann ich!*

● ○ ●

... über Essgewohnheiten sprechen: L09   ○ ○ ○
    ▲ _____ _____ du gern zum Frühstück?
    ■ Ich _____. Und du?
    ▲ _____.

... beim Essen etwas anbieten und Angebote annehmen/ablehnen: L09   ○ ○ ○
    ▲ _____ Sie einen Kaffee?
    ■ ☺ _____. ☹ _____.

Ich kenne ...

... 8 Freizeitaktivitäten: L07 / L08   ○ ○ ○
    Das mache ich gern:
    _____
    Das mache ich nicht so gern:
    _____
    Ich gehe gern ins / in eine / in einen:
    _____
    Ich gehe nicht so gern ins / in eine / in einen:
    _____

... die Tageszeiten und die Wochentage: L08   ○ ○ ○
    Am Morgen, _____
    Montag, _____

... 8 Lebensmittel und Speisen: L09   ○ ○ ○
    Das esse / trinke ich gern: _____
    Das esse / trinke ich nicht so gern: _____

Ich kann auch ...

... über Fähigkeiten sprechen (Modalverb: *können*, Satzklammer): L07   ○ ○ ○
    ▲ _____? (Schach – können – ihr - spielen)
    ■ Nein, wir _____. (gar nicht)

... einen Zeitpunkt angeben (temporale Präpositionen um, am): L08   ○ ○ ○
    ▲ Wann denn? ■ _____ Samstag _____ 19.00 Uhr.

... Informationen hervorheben/betonen (Inversion): L08   ○ ○ ○
    Ich kann am Sonntag nicht kommen.
    Am Sonntag _____.

... Wörter kombinieren (Wortbildung): L09   ○ ○ ○
    • 🍫   • 🍰   _____

Üben/Wiederholen möchte ich noch ...

_____

Ich steige jetzt in die U-Bahn ein.

KB 4

1 Wie heißen die Wörter? Ergänzen Sie.

WÖRTER

~~fen~~ | Vor | Halt | ~~Flug~~ | steig | Bahn | sicht | ~~ha~~

a ■ Wann sind wir am Flughafen?　　　　　　▲ In 40 Minuten.
b ■ Wie heißt der nächste _____?　　▲ Mönckebergstraße.
c ■ _____ an der Bahnsteigkante.　　▲ Zu spät! Jetzt nehmen wir den
　　Der Zug fährt ab.　　　　　　　　　　　　nächsten Zug.
d ■ Ich suche die U2 zum Olympiazentrum.　▲ Die Bahn fährt gerade am
　　　　　　　　　　　　　　　　　　　　　　　　_____ 5 ein.

KB 5

2 Ergänzen Sie die Verben.

WÖRTER

a 　　　c 　　　e

an k o m m e n　　　e _ _ s t _ _ _ _ _ _　　　_ i _ k _ _ f _ _

b 　　　d 　　　f

a _ r u _ _ _ _　　　_ _ _ _ _ s _ h _ _　　　a _ s _ _ _ _ _ _ _

KB 5

3 Markieren Sie die Verben und notieren Sie den Infinitiv.

STRUKTUREN ENTDECKEN

a　Liebe Susi, ich kaufe heute ein ☺! Dann kochen wir und dann sehen wir noch ein bisschen fern, ok?

einkaufen
_____　_____

b　Hallo Herr Peters,
Frau Alvarez kommt heute um 17. 35 Uhr am Flughafen an. Sie wohnt im Hotel „Am Stadtpark".
Viele Grüße
Bianca Schwiering

_____
_____

c　Hallo Andrea, hier meine Adresse: Humboldtstraße 121a. Ich steige immer am Kolumbusplatz aus. Dann sind es nur 5 Min.
Bis bald
Martin

_____
_____

d　Gehen wir heute in die Disco? Die „Wunderbar" finde ich echt gut. Ich rufe Dich an.

_____
_____

BASISTRAINING

KB 5 **4** **Trennbar oder nicht? Ergänzen Sie, wo nötig.**

a ■ _Steigt_ ihr am Goetheplatz _ein_? (einsteigen)
b ■ Wann _telefonierst_ du mit Oma _____/_____? (telefonieren)
c ■ Heute Abend _____ wir _____ . Kommst du auch? (fernsehen)
d ■ Wo _____ ihr _____ ? (umsteigen)
e ■ _____ ich bitte einen Kaffee _____? (bekommen)
f ■ Vielleicht _____ ich am Samstag meine Freundin _____ . (mitbringen)
g ■ Am Sonntag _____ ich erst um 12 Uhr _____ . (frühstücken)

KB 5 **5** **Schreiben Sie eigene Sätze wie in 4 und tauschen Sie mit Ihrer Partnerin / Ihrem Partner.**

abholen: Ich _____ dich dann um
14.30 Uhr _____ .
fotografieren: Er _____ wirklich gut
_____ .

KB 5 **6** **Schreiben Sie Sätze.**

a ~~aussteigen/am Rathausplatz/wir.~~
b der Zug/wo/abfahren/nach Berlin?
c mich/du/anrufen?

d dich/abholen/um 16.45 Uhr/ich.
e einen Kuchen/ihr/mitbringen?
f ankommen/wann/der Bus?

a	Wir	steigen	am Rathausplatz	aus.
b	Wo		der Zug nach Berlin	?
c		Rufst		
d				
e				
f				

KB 6 **7** **Fremd in der Stadt. Was denkt Jutta? Schreiben Sie.**

Wie komme ich jetzt zu „Schulz und Partner"?

Also, ich _steige am Flughafen in die S-Bahn ein._
Am Hauptbahnhof _____
_____ . Am Eifelplatz
_____ und _____
_____ .

Zentrum Köln → „Schulz und Partner" (Praktikum Mo-Fr)
- am Flughafen in die S-Bahn einsteigen
- am Hauptbahnhof in die U-Bahn umsteigen
- am Eifelplatz aussteigen
- Frau Lerch anrufen

KB 7 **8** **Ergänzen Sie und vergleichen Sie.**

Flugzeug | Taxi | Straßenbahn | ~~Zug~~ | U-Bahn | Bus

		Deutsch	Englisch	Meine Sprache oder andere Sprachen
a		_der Zug_	train	
b		_____	plane	
c		_____	taxi	
d		_____	tram, streetcar	
e		_____	bus	
f		_____	underground	

KB 7 **9** **Mike in München, Teil 1**

Ordnen Sie die Fragen zu.

Wann kommst du? | Holst du mich ab? | Nimmst du den Zug? | ~~Hast du Zeit?~~

- ■ Hallo, Tom, hier ist Mike.
- ▲ Hallo, Mike, wie geht's?
- ■ Gut, danke. Ich bin nächste Woche in München und möchte dich gern besuchen. _Hast du Zeit?_
- ▲ Ja natürlich! _____
- ■ Am Mittwoch, um 20.50 Uhr.
- ▲ _____
- ■ Ja. Ich komme am Ostbahnhof an. _____
- ▲ Na klar, gern. Ich arbeite bis 20 Uhr. Dann hole ich dich ab.
- ■ Danke, dann bis Mittwoch!

KB 7 **10** **Mike in München, Teil 2**

▶ 1 69

Hören Sie. Was ist richtig? Kreuzen Sie an.

a	Wann ist Mike in München?	○ Um 18.30 Uhr.	○ Um 19.00 Uhr.
b	Er nimmt	○ die S-Bahn.	○ die U-Bahn.
c	Mike fährt	○ zum Flughafen.	○ nach Daglfing.
d	Wie lange dauert die Fahrt?	○ 20 Minuten.	○ 7 Minuten.
e	Was bringt Mike mit?	○ Wurst.	○ Brot.

▶ 1 70–73 **1** **Wo sind die Personen? Hören Sie und kreuzen Sie an.**

	Foto A	Foto B	Foto C	Foto D
Durchsage 1	○	○	○	○
Durchsage 2	○	○	○	○
Durchsage 3	○	○	○	○
Durchsage 4	○	○	○	○

2 **Durchsagen**

a **Lesen Sie die Aufgaben. Markieren Sie alle Zahlen und Uhrzeiten.**

> **TIPP** Achten Sie auf Zahlen und Uhrzeiten. Am Bahnhof/Flughafen/… sind Zahlen und Zeiten besonders wichtig.

1
Die Passagiere von Flug 134 können jetzt einsteigen. ○
Die Passagiere von Flug 243 können jetzt einsteigen. ○

2
Der Bus Nr. 14 fährt heute nur bis zum Ostbahnhof. ○
Der Bus Nr. 58 fährt heute nur bis zum Ostbahnhof. ○

3
Der ICE 756 aus Hamburg kommt heute um 13.27 Uhr an. ○
Der ICE 756 aus Hamburg kommt heute um 13.50 Uhr an. ○

4
Die U5 fährt von 22 bis 1 Uhr nur bis Alexanderplatz. ○
Die S75 fährt von 22 bis 1 Uhr nur bis Alexanderplatz. ○

▶ 1 70–73 b **Hören Sie noch einmal. Welche Sätze sind richtig? Kreuzen Sie in a an.**

TEST

1 **Wie heißen die Wörter?**

WÖRTER

~~hafen~~ | stelle | bahn | steig | hof | zeug

a Straßen_____
b Flug<u>hafen</u> / Flug_____

c Bahn_____ / Bahn_____
d Halte_____

___ / 5 Punkte

2 **Ordnen Sie zu.**

WÖRTER

Gleis | Koffer | U-Bahn | ~~Gepäck~~ | Taxi | Halt | Zug

a ■ Guten Tag, Herr Baltaci. Haben Sie
  <u>Gepäck</u>?
  ▲ Ja, zwei _____ und die Tasche.
b ■ Nächster _____ Königsplatz.

c ■ Wo fährt der _____ nach Stuttgart ab?
  ▲ Auf _____ 17.
d ■ Es ist schon sehr spät. Jetzt fährt
  keine _____ mehr.
  ▲ Dann nehmen wir ein _____.

___ / 6 Punkte

3 **Ergänzen Sie das Gespräch.**

STRUKTUREN

■ Guten Morgen, Ella, hier ist Karin. Wo bist du?
▲ Hallo, Karin. Ich <u>steige gerade in den Zug ein</u> (a). (einsteigen/in den Zug /gerade)
■ Wann _____ (b)? (du/ankommen)
▲ Um 09:35 Uhr am Ostbahnhof und um 09:45 Uhr am Hauptbahnhof.
■ Kannst du _____ (c)?
  (aussteigen/am Hauptbahnhof/bitte)
  Ich _____ (d). (abholen/dich)
▲ Super, vielen Dank.
■ Jetzt _____ (e),
  (einkaufen/ich/Brötchen) dann können wir zusammen frühstücken.
▲ Gute Idee. Also dann, bis bald.

___ / 8 Punkte

4 **Schreiben Sie vier Gespräche.**

KOMMUNIKATION

Nehmt ihr ein Taxi? | ~~Wo fährt der Zug nach Köln ab?~~ | Ich habe leider keine Zeit. | Am
Rathausplatz. | Um 09:45 Uhr. | Nein, die U-Bahn. | ~~Auf Gleis 15.~~ | Holst du mich ab? |
Wann kommt der Zug an? | Wo steigst du um?

■ <u>Wo fährt der Zug nach Köln ab?</u>
▲ <u>Auf Gleis 15.</u>

■ _____
▲ _____

■ _____
▲ _____

■ _____
▲ _____

■ _____
▲ _____

___ / 4 Punkte

Wörter	Strukturen	Kommunikation
● 0–5 Punkte	● 0–4 Punkte	● 0–2 Punkte
◐ 6–8 Punkte	◐ 5–6 Punkte	◐ 3 Punkte
● 9–11 Punkte	● 7–8 Punkte	● 4 Punkte

www.hueber.de/menschen-hier/lernen

LERNWORTSCHATZ

1 **Wie heißen die Wörter in Ihrer Sprache? Übersetzen Sie.**

Verkehr und Reisen	Weitere wichtige Wörter
Bahnhof der, ⸚e _____	Minute die, -n _____
Bahnsteig der, -e _____	Vorsicht die _____
Bus der, -se _____	zu Hause _____
Halt der, -e/-s _____	Entschuldigen
Haltestelle die, -n _____	Sie. _____
Flughafen der, ⸚ _____	
Flugzeug das, -e _____	an·rufen _____
Gepäck das _____	bekommen _____
Gleis das, -e _____	ein·kaufen _____
Koffer der, - _____	fern·sehen, du
S-Bahn die, -en _____	siehst fern,
Straßenbahn die,	er sieht fern _____
-en auch: Tram die, -s _____	mit·bringen _____
Taxi das, -s _____	nehmen, du
U-Bahn die, -en _____	nimmst, er nimmt _____
Verkehrsmittel	
das, - _____	also _____
Zug der, ⸚e _____	also dann _____
	gerade _____
ab·fahren, du	nächste _____
fährst ab,	
er fährt ab _____	viel _____
ab·holen _____	auf _____
an·kommen _____	auf Gleis 10 _____
aus·steigen _____	bis _____
ein·steigen _____	Bis bald! _____
um·steigen _____	

> **Sie lesen den Satz:**
> „Wir steigen dann in Flensburg in den Bus um."
> Sie verstehen „steigen" nicht und suchen im Wörterbuch.
> Achten Sie auch auf das Satzende.
> Suchen Sie „umsteigen" im Wörterbuch.

TIPP

2 **Welche Wörter möchten Sie noch lernen? Notieren Sie.**

_____

_____

_____

_____

_____

_____

Was hast du heute gemacht?

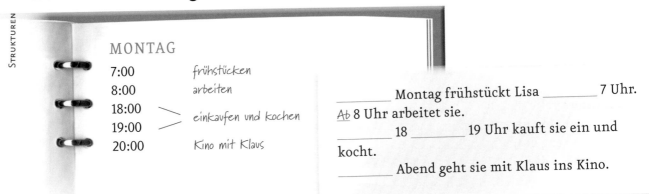

KB 3 **1** **Was macht Lisa? Ergänzen Sie** *um – am – von ... bis – ab.*

STRUKTUREN

MONTAG

7:00   frühstücken
8:00   arbeiten
18:00 ⟩ einkaufen und kochen
19:00
20:00 Kino mit Klaus

_____ Montag frühstückt Lisa _____ 7 Uhr.
<u>Ab</u> 8 Uhr arbeitet sie.
_____ 18 _____ 19 Uhr kauft sie ein und kocht.
_____ Abend geht sie mit Klaus ins Kino.

KB 3 **2** **Was machen Sie heute?**

Ergänzen Sie den Kalender. Ihre Partnerin /
Ihr Partner schreibt einen kurzen Text wie in **1**.

KB 4 **3** **Was machst du gern?**

WÖRTER

a Wie heißen die Verben?

NACHEM   _____
FAHLESCN   _____   RUMAFUÄNE   _____
HENFENERS   <u>fernsehen</u>   NESEL   _____
RAFEHN   _____   NELREN   _____

STRUKTUREN

b Ergänzen Sie die Verben aus **a** in der richtigen Form.

1 <u>Siehst</u> du am Abend gern <u>fern</u>?   4 _____ du gern Zeitung?
2 _____ du gern deine Wohnung   5 _____ du gern Fahrrad?
  _____?   6 _____ du gern Deutsch?
3 _____ du am Wochenende lange?   7 _____ du gern Hausaufgaben?

KB 5 **4** **Ergänzen Sie** *haben* **in der richtigen Form.**

STRUKTUREN

■ <u>Haben</u> (a) wir jetzt alles für die Party?
▲ Ich denke ja.
■ _____ (b) du auch Brot gekauft?
▲ Ja klar. Das _____ (c) ich doch heute Morgen schon gekauft.
■ Und wo ist der Geburtstagskuchen?
▲ Den Kuchen _____ (d) Julia gebacken. Sie bringt ihn heute Abend zur Party mit.
■ Sehr gut. Und was _____ (e) wir zu trinken?
▲ Wein, Mineralwasser und Saft.
■ Super! Und wo _____ (f) ihr das Geschenk für Julia?
▲ Das ist noch in Claudias Auto. Sie kommt um sechs Uhr und bringt es mit.
■ Gut, ich glaube, jetzt _____ (g) wir wirklich alles.

KB 5

STRUKTUREN ENTDECKEN

5 Ergänzen Sie *haben* und das Partizip.

gelernt | gegessen | eingeladen | gebacken | ~~geschlafen~~ | gekauft | gelesen

a	Am Sonntag	_habe_	ich lange	_geschlafen._
b	Wo	_____	Sie Deutsch	_____?
c	Ich	_____	Kuchen	_____.
d		_____	du deine Schwester auch zu deiner Party	_____?
e	Was	_____	ihr zum Mittagessen	_____?
f	Gestern	_____	ich ein neues Fahrrad	_____.
g	Ich	_____	heute noch nicht Zeitung	_____.

KB 6

STRUKTUREN ENTDECKEN

6 Wiederholung: Verben

Ordnen Sie zu und ergänzen Sie den Infinitiv.

~~gearbeitet~~ | gewohnt | geglaubt | gesucht | ~~gesprochen~~ | gekostet | gefunden | gesagt | gebraucht | geschrieben | gewusst | ~~eingeladen~~ | gelacht | gesungen | gefrühstückt | gelernt | geliebt | gesehen | getrunken | angerufen | ~~eingekauft~~ | genommen | aufgeräumt | geredet | gedacht

(...)ge...t	(...)ge...en
gearbeitet – arbeiten	gesprochen – sprechen
eingekauft – einkaufen	eingeladen – einladen

KB 6

STRUKTUREN

7 Finden Sie die Partizipien und ergänzen Sie.

hört | **ge** | ge | spielt | troffen | ge | holt | ge | ab | ~~schrieben~~ | tanzt | ge | ge | kocht | ge

Dennis hat letzten Freitag …

a eine E-Mail _geschrieben_,

b Musik _____,

c Tennis _____,

d seine Freundin am Bahnhof

_____,

e Freunde in einem Café _____,

f Abendessen _____,

g in der Disco _____.

BASISTRAINING

KB 6 **8 Antworten Sie auf die SMS. Verwenden Sie das Perfekt.**

STRUKTUREN

~~einkaufen~~ | abholen | einladen | mitbringen

a

> Hi Claudia,
> holst Du bitte
> Paula am Bahnhof ab?
> Ich habe keine Zeit.
> LG Max

> Hallo Max,
> ich _____ Paula schon
> _____. Sie
> _____ super Wein
> _____!
> Wir sind schon zu
> Hause. ☺
> Grüße Claudia

b

> Das ist sehr nett!
> Essen wir heute
> Abend zusammen?

> Ja, natürlich! Wir _haben_
> _eingekauft_ und
> kochen jetzt.
> Wir _____ auch
> Susanne zum Essen
> _____.
> Okay? ☺

KB 7 **9 Eine E-Mail aus Hamburg. Lesen Sie und kreuzen Sie an.**

LESEN

An:	nina@aol.com
Kopie:	
Betreff:	neuer Job

Hallo Nina,

wie geht es Dir? Du hast so lange nicht geschrieben. Ist alles okay?

Ich habe im Mai bei einer neuen Firma als Marketing-Assistentin angefangen. Der Job ist sehr interessant und meine Kollegen sind sehr nett und lustig. In der Mittagspause essen wir immer zusammen, reden und lachen viel. Aber ich habe auch sehr viel Arbeit. Ich arbeite täglich von 8.30 Uhr bis 17.30 oder 18.00 Uhr und manchmal arbeite ich auch noch länger.

Nach der Arbeit gehe ich oft mit meinen Kolleginnen und Kollegen noch in eine Kneipe, ins Kino oder wir treffen uns bei meiner Kollegin Tamara. Sie hat eine sehr schöne Wohnung und sie kocht gern für viele Leute. Das finde ich super! Sie hat viele nette Freunde, wie zum Beispiel Rainer ... aber mehr Info zu Rainer in der nächsten Mail ...

Bitte schreib mir!

Herzliche Grüße
Chiara

Chiara ...

		richtig	falsch
a	hat eine neue Arbeit.	○	○
b	hat viel Spaß mit ihren Kollegen.	○	○
c	arbeitet jeden Tag bis 19 Uhr.	○	○
d	geht am Abend immer mit ihren Kollegen in Kneipen.	○	○
e	besucht gern ihre Kollegin Tamara.	○	○
f	findet Rainer nett.	○	○

TRAINING: SCHREIBEN

1 Einen Tagesablauf beschreiben

a Lesen Sie die Amirs E-Mail. Was ist richtig? Kreuzen Sie an.

Amir hat einen neuen Job. ○
Gopal hat einen neuen Job. ○

> Lieber Gopal,
> wie geht es Dir in Deinem neuen Job in Köln?
> Was machst Du den ganzen Tag? Hast Du viel
> Arbeit? Hast Du noch Zeit für Deine Familie?
> Wie geht es Anjali und den Kindern?
> Viele Grüße
> Amir

b Sehen Sie das Bild von Gopal an. Was ist richtig? Kreuzen Sie an.

a Gopal arbeitet im Museum. ○   b Er ist Kellner von Beruf. ○
Gopal arbeitet im Restaurant. ○   Er ist Koch von Beruf. ○

2 Gopals Tag

a Ordnen Sie die Verben den Bildern zu.

telefonieren | im Supermarkt einkaufen | Pause machen | fernsehen | ~~einen Tee trinken~~ |
kochen | mit den Kindern spielen | zusammen essen

1
einen Tee trinken

2
_____

3
_____

4
_____

5
_____

6
_____

7
_____

8
_____

b Was antwortet Gopal? Schreiben Sie die E-Mail fertig. Benutzen Sie die Wörter aus a.

> Lieber Amir,
>
> vielen Dank für Deine Mail. Es geht mir sehr gut. Ich habe viel Arbeit, aber es macht Spaß und meine
> Kollegen sind sehr nett. Ich arbeite von 10 bis 19 Uhr. Anjali und die Kinder sehe ich am Abend.
> Das habe ich heute zum Beispiel gemacht:
> Am Morgen _habe ich einen Tee getrunken_.
> Um 10 Uhr _habe ich_ _____ .
> Danach _____ .
> Am Nachmittag _____ .
> Am Abend _____ .
> Dann haben wir _____ .
> Um 22 Uhr _____
> und dann _____ . Und jetzt schreibe ich Dir!
> Und wie geht es Dir und Deiner Familie?
>
> Viele Grüße
> Gopal

> **TIPP**
> Kontrollieren
> Sie noch einmal
> Ihren Text. Sind
> die Verben an
> der richtigen
> Position?

1 Was passt? Ordnen Sie zu.

WÖRTER

a Wein
b die Hausaufgaben
c Fahrrad
d Spanisch
e die Zeitung
f Freunde
g das Zimmer

lernen
aufräumen
machen
einladen
trinken
fahren
lesen

_ / 6 PUNKTE

2 Schreiben Sie Sätze im Perfekt.

STRUKTUREN

a ■ *Hast du heute gearbeitet?* (heute/arbeiten/du)
   ▲ Ja, aber nur bis 14 Uhr. _____ .
   (Fußball spielen/am Nachmittag/ich)
b ■ _____ ? (sehen/Monika/du)
   ▲ Ja, letzte Woche. _____ . (viel/wir/lachen)
c ■ _____ ? (einkaufen/heute Nachmittag/ihr)
   ▲ Nein, _____ (Anna/Englisch lernen)
   und _____ . (Hausaufgaben machen/ich)
d ■ Was _____ ? (zum Frühstück/essen/du)
   ▲ Müsli. Und ich _____ . (trinken/einen Kaffee)
e ■ Was _____ ? (heute/machen/du)
   ▲ Nicht viel. Ich _____ . (schlafen/bis 12 Uhr)
   Gestern _____ .
   (meine Freunde und ich/lange feiern)

_ / 11 PUNKTE

3 Ergänzen Sie den Chat. Schreiben Sie.

KOMMUNIKATION

Kelubia:
- lange schlafen, einkaufen,
  15–17 Uhr: Tennis spielen

Neyla:
- Vormittag: mit Anna Deutsch lernen,
  Nachmittag: arbeiten

NEYLA: Hallo Kelubia, wie geht's? Was hast Du denn heute alles gemacht?
Kelubia: Ach, *ich habe lange geschlafen.* Dann _____ . (a)
Von _____ . (b)
Und Du? Was _____ ? (c)
NEYLA: Am Vormittag habe ich _____ . (d)
_____ . (e)
Jetzt räume ich noch auf, dann gehe ich schlafen.
Kelubia: Na, dann – Gute Nacht!

_ / 5 PUNKTE

Wörter		Strukturen		Kommunikation	
●	0–3 Punkte	●	0–5 Punkte	●	0–2 Punkte
○	4 Punkte	○	6–8 Punkte	○	3 Punkte
●	5–6 Punkte	●	9–11 Punkte	●	4–5 Punkte

www.hueber.de/menschen-hier/lernen

LERNWORTSCHATZ

1 Wie heißen die Wörter in Ihrer Sprache? Übersetzen Sie.

Mein Tag

Arbeit die, -en _____

Hausaufgabe
  (machen) die, -n _____

Pause (machen)
  die, -n _____

Zeitung die, -en _____

auf·räumen, hat
  aufgeräumt _____

ein·laden, du
  lädst ein, er lädt ein, hat eingeladen

kaufen, hat
  gekauft _____

lachen, hat
  gelacht _____

lernen, hat
  gelernt _____

reden, hat geredet _____

schlafen,
  du schläfst, er schläft, hat geschlafen

täglich _____

ab _____

von ... bis _____

Weitere wichtige Wörter

Baby das, -s _____

Fahrrad
  (fahren) das, ⸚er

Geschenk das, -e _____

Monat der, -e _____

Paar das, -e _____

Party die, -s _____

Reise die, -n _____
  (Dienstreise/Privatreise)

Sport der _____

Wein der, -e _____

denken, hat
  gedacht _____

meinen, hat
  gemeint _____

fertig (sein) _____

interessant _____

lange _____

langweilig _____

letzt- (letzten
  Freitag /
  letztes Jahr / _____
  letzte Woche)

schwanger _____

für _____

...mal (zwei-/
  drei-/viermal) _____

Wirklich? _____

> **TIPP**
> Schreiben Sie Sätze.
> Benutzen Sie neue
> und alte Wörter.

Ich habe mein Zimmer aufgeräumt.

Das Buch ist langweilig.

2 Welche Wörter möchten Sie noch lernen? Notieren Sie.

_____

_____

_____

_____

_____

_____

Was ist denn hier passiert?

KB 3 **1** **Monate und Jahreszeiten**

WÖRTER

a Ergänzen und vergleichen Sie. Ordnen Sie dann die Bilder zu.

 1  2  3  4

Foto	Deutsch		Englisch		Meine Sprache oder andere Sprachen
4	Winter	Dezember, J _ _ _ _ _, F _ _ _ _ _ _	winter	December, January, February	
	F _ _ _ _ _ _ _	M _ _ _, _ _ _ _ _, _ _ _	spring	March, April, May	
	_ _ _ _ _ _	_ _ _, _ _ _ _, _ _ _ _ _ _	summer	June, July, August	
	_ _ _ _ _ _	_ _ _ _ _ _ _ _ _ _, _ _ _ _ _ _ _,	autumn	September, October, November	

b Welche Jahreszeit, welcher Monat ist das?

Frühling | | | | | | | | | | | |

c Machen Sie eigene Aufgaben wie in **b** und tauschen Sie mit Ihrer Partnerin / Ihrem Partner.

KB 3 **2** **Jahreszahlen und Monate**

▶ 1 74 a Welche Jahreszahlen hören Sie? Kreuzen Sie an. Wie heißt das Lösungswort?

HÖREN

a (H) ◯ 1789   (S) ◯ 1798   e (E) ◯ 2011   (S) ◯ 2001
b (O) ◯ 2017   (E) ◯ 2170   f (T) ◯ 313   (K) ◯ 333
c (M) ◯ 1980   (R) ◯ 1918
d (B) ◯ 1576   (P) ◯ 1376   Lösungswort: _ _ _ _ _ _ _

▶ 1 75 b Wie heißt die Jahreszahl? Lesen Sie laut. Hören und vergleichen Sie dann.

a 2054   b 1255   c 1966   d 1832   e 2001

c Wann haben die Personen Geburtstag?

Hanne: 14.05.   Im Mai
Bernd: 26.04.   _____
Sabine: 23.02.   _____
Florian: 31.08.   _____

BASISTRAINING

3 **Ergänzen Sie *sein* in der richtigen Form.**

a Antonis *ist* nach Athen geflogen.
b Ich _____ mit Daniel in ein Konzert gegangen.
c _____ ihr schon einmal nach Zürich gefahren?
d Oksana und Marijana _____ am Montag nicht zum Deutschkurs gekommen.
e _____ du nach Hamburg gefahren oder geflogen?

4 **Wie heißt der Infinitiv? Notieren Sie.**

Liebe Freunde,
ich bin wieder da!
Portugal war wirklich super. Ich bin viel im Atlantik **geschwommen**
und viel Rad **gefahren**. Leider war die Fahrt sehr lang.
Am Freitagabend bin ich in Porto **abgefahren** und erst am Sonntagmittag
in Frankfurt **angekommen** (und dreimal **umgestiegen** ...).
Nächste Woche feiern wir, es gibt Wein aus Portugal! ☺
Tiago

schwimmen
_____
_____
_____

5 **Ergänzen Sie die Tabelle mit den Verben aus 3 und 4.**

sein + ge...en	sein + ( )ge...en
kommen – gekommen	ankommen – angekommen

6 **Ergänzen Sie *haben* oder *sein* und das Partizip in der richtigen Form.**

a kochen/gehen/~~kommen~~
■ Wie war dein Abend?
▲ Sehr gut. Isabella und Tom *sind gekommen*. Wir _____ zusammen eine Fischsuppe _____. Später _____ wir noch in die Disco _____.

b einkaufen/machen/fahren
■ Und was _____ ihr gestern _____?
▲ Wir _____ in die Stadt _____ und _____.

c treffen/hören/fliegen
■ Letztes Jahr _____ wir zum Wacken-Festival _____.
▲ Und wie hat es euch gefallen?
■ Es war super. Wir _____ gute Musik _____ und Freunde _____.

d fahren/umsteigen
■ Ich _____ mit dem Zug von München nach Flensburg _____.
▲ Wie oft _____ du _____?
■ Nur einmal, in Hamburg.

BASISTRAINING

KB 6 **7** **Ergänzen Sie *war* oder *hatte*.**

STRUKTUREN

a Gestern _____ ich im Kino, aber der Film _____ langweilig.
b Heute habe ich nicht eingekauft, ich _____ kein Geld.
c Pedro _____ heute nicht im Kurs. Er _____ einen Termin.
d Ich habe fünf Jahre in São Paulo gelebt. Dort _____ ich einen super Job.
e Dorit _____ gestern nicht auf der Party. Sie _____ keine Lust.
f Ich mache gern Reisen. Ich _____ schon oft in Asien und in Afrika.
g Letztes Jahr hat mein Bruder geheiratet. Die Hochzeit _____ im August.

KB 6 **8** **Ein Tagebuch**

SCHREIBEN

a **Teresas Tagebuch. Schreiben Sie im Perfekt.**

> Freitag: ~~Monas Geburtstagsfeier~~ | ~~lange feiern~~
> Samstag: Max holt mich ab | gehen ins Kino | treffen Doro und Jo
> Sonntag: lange schlafen | Wohnung aufräumen
> Montag: arbeiten | Spanisch lernen
> Dienstag: in die Stadt fahren | Kette kaufen

FREITAG 15.5

Ich war auf Monas Geburtstagsfeier, wir haben lange
gefeiert.

b **Was haben Sie die letzten Tage gemacht? Schreiben Sie.**

Mittwoch: Ich war im Deutschkurs,

KB 7 **9** ***aus, in* oder *nach*? Kreuzen Sie an.**

STRUKTUREN

a Monique und Antoine leben ○ aus ⊗ in ○ nach Berlin.
b Monique ist Studentin, sie studiert hier Deutsch. Aber sie kommt
  ○ aus ○ in ○ nach der Schweiz.
c Letzten Monat ist sie ○ aus ○ in ○ nach Genf geflogen und
  hat ihre Eltern besucht.
d Antoine ist im September ○ aus ○ in ○ nach Deutschland gekommen.
e Er kommt ○ aus ○ in ○ nach Paris. Sein Deutsch ist nicht so gut. Mit Monique
  spricht er immer Französisch. Aber jetzt macht er einen Deutschkurs.

TRAINING: SPRECHEN

1 Über ein Fest erzählen

a Wählen Sie ein Fest aus und sammeln Sie Stichpunkte zu den Fragen.

Wann und wo war das Fest? *letztes Jahr*	Wer hat eingeladen?	Wer war dort?

Was haben Sie gegessen / getrunken?	Was hat Ihnen gut gefallen?	**TIPP** Notieren Sie zuerst Fragen oder Themen. Sammeln Sie dann Informationen zu den Fragen oder Themen.

b Erzählen Sie Ihrer Partnerin / Ihrem Partner von dem Fest. Verwenden Sie Ihre Stichpunkte aus a.

Das Fest war letztes Jahr / am … um … Uhr.
Wir haben bei … gefeiert.
Auf dem Fest waren … Personen.
Wir haben … gegessen/getrunken.
… war wirklich toll. / … hat mir (nicht) gefallen.

Das Fest war letztes Jahr.
Wir haben bei Marion Silvester gefeiert. …

2 Ein Fest in Ihrem Heimatland

a Ein Fest in Ihrem Land. Machen Sie Notizen. Arbeiten Sie auch mit dem Wörterbuch.

Mein Heimatland: Thailand
So heißt das Fest: Songkran, mein Lieblingsfest!
Wann ist das?   im April
Was macht man?   Leute spritzen andere mit Wasser nass

b Erzählen Sie Ihrer Partnerin / Ihrem Partner. Verwenden Sie Ihre Notizen aus a.

In Thailand feiern wir im April Songkran,
das ist das Neujahrsfest. Dann gehen alle Leute mit
Wasser auf die Straße und spritzen die anderen nass.
Songkran ist mein Lieblingsfest.
Wir haben so viel Spaß!

WÖRTER

1 Monate und Jahreszeiten

a Wie heißen die Monate?

1 _____ 4 _____ 7 _____ 10 _____
2 _____ 5 _____ 8 _____ 11 _____
3 _____ 6 _____ 9 _____ 12 _____

b Wie heißen die vier Jahreszeiten?

_____ _____ _____ _____

_ / 8 PUNKTE

STRUKTUREN

2 Was ist richtig? Kreuzen Sie an.

a Ich ⊗ habe ○ bin am Wochenende meinen Geburtstag gefeiert.
b Meine Freundin aus Wien ○ hat ○ ist auch gekommen.
c Am Abend ○ haben ○ sind wir in eine Bar gegangen.
d Wir ○ haben ○ sind Freunde getroffen.
e Später in der Nacht ○ haben ○ sind wir auch getanzt.
f Heute ○ hat ○ ist meine Freundin leider wieder abgefahren.

_ / 5 PUNKTE

STRUKTUREN

3 Schreiben Sie Sätze im Perfekt.

a Lucia kommt nach Lübeck.   *Lucia ist nach Lübeck gekommen.*
b Wir fahren im Juli nach Hamburg.   Im Juli _____.
c Der Zug fährt um 12:30 Uhr ab.   Der Zug _____.
d Marcel fliegt nach Amsterdam.   _____.
e Ich gehe mit Carla ins Kino.   _____.

_ / 4 PUNKTE

KOMMUNIKATION

4 Ergänzen Sie.

(11.05. – 08:47 Uhr) *nicky1980*:
Hallo Leute, ich fliege im Sommer nach Deutschland.
Wo gibt es ein gutes Reggae-Festival?

(13.05. – 21:43 Uhr) SUNSAMMY:
Hi nicky,
es gibt viele. Ein Fest *heißt* „Chiemsee Reggae Summer Festival".
Es ist sehr groß, es _____ 30.000 Besucher.
Das Festival _____ es seit 15 Jahren und es _____ 3 Tage.
Ach ja, und es _____ im August.

(09.09. – 18:56 Uhr) *nicky1980*:
Hi und danke, sunsammy!
Ich war auf dem Festival. Es war wirklich super! Ich habe viele nette
Leute _____ und gute Musik _____.

_ / 6 PUNKTE

Wörter		Strukturen		Kommunikation	
⬤	0–4 Punkte	⬤	0–4 Punkte	⬤	0–3 Punkte
⬤	5–6 Punkte	⬤	5–7 Punkte	⬤	4 Punkte
⬤	7–8 Punkte	⬤	8–9 Punkte	⬤	5–6 Punkte

LERNWORTSCHATZ

1 Wie heißen die Wörter in Ihrer Sprache? Übersetzen Sie.

Jahreszeiten
Frühling der, -e _____
Sommer der, - _____
Herbst der, -e _____
Winter der, - _____

im Winter/ _____
  Frühling ... _____

Monate
Januar der, -e _____
Februar der, -e _____
März der, -e _____
April der, -e _____
Mai der, -e _____
Juni der, -s _____
Juli der, -s _____
August der, -e _____
September der, - _____
Oktober der, - _____
November der, - _____
Dezember der, - _____

im Januar/ _____
  Februar ... _____

Feste und Feiern
Fest das, -e _____
Hochzeit
  die, -en _____
Karneval der
  (Fasching, Fasnacht)
Neujahr das, -e _____
Silvester das, - _____

an·fangen,
  du fängst an,
  er fängt an,
  hat angefangen _____
auf·hören, hat
  aufgehört _____
feiern, hat
  gefeiert _____
dauern, hat
  gedauert _____
gefallen,
  du gefällst,
  er gefällt,
  hat gefallen _____

seit _____

Weitere wichtige Wörter
Bier (Weißbier)
  das, -e _____
Leute (Pl.) _____
Person die, -en _____

geben, es gibt,
  hat gegeben _____
fliegen,
  ist geflogen _____
springen, ist
  gesprungen _____
studieren,
  hat studiert _____

gestern _____

> **TIPP**
> Finden Sie internationale Wörter.
> Man kann sie leicht verstehen.
>
> Vergleichen Sie die Wörter mit Ihrer
> Muttersprache.

Deutsch	Englisch	Französisch
Winter	winter	hiver
studieren	to study	étudier

● März
● April
● Mai

● Juni
● Juli
● August

● September
● Oktober
● November

● Dezember
● Januar
● Februar

2 Welche Wörter möchten Sie noch lernen? Notieren Sie.

_____

_____

IM ALLTAG Verkehrsinformationen verstehen

1 Was passt? Ordnen Sie zu.

der Abflug | die Ankunft | ~~die Bahncard~~ | die Buslinie | der Fahrplan

A

_____

B
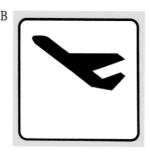
_____

C

die Bahncard _____

D

_____

E
_____

▶ 1 76–78

2 Ansagen und Auskünfte

a Wo ruft die Person an? Hören Sie die Ansagen und kreuzen Sie an.

	Flughafen Wien	Deutsche Bahn	Berliner Verkehrsbetriebe
Ansage 1	○	○	○
Ansage 2	○	○	○
Ansage 3	○	○	○

b Hören Sie noch einmal. Welche Informationen kann man bekommen? Kreuzen Sie an.

	Ansage 1	Ansage 2	Ansage 3
Fahrpreise	○	○	○
Abflug	○	○	○
Ankunft	○	○	○
Fahrplan	○	○	○
Buslinien	○	○	○
Bahncard	○	○	○

WORTSCHATZ

Abflug der, ⸚e (abfliegen)
Ankunft die, ⸚e (ankommen)
Ansage die, -n
Auskunft die, ⸚e
Fahrplan der, ⸚e
Fahrpreis der, -e
Linie die, -n
  Buslinie die
  U-Bahnlinie die

IN DER FAMILIE *Aktivitäten für Kinder*

1 Lesen Sie die Aushänge. Was passt? Ordnen Sie zu.

A
Musikschule Berrini
Plätze frei!
Musikunterricht bei Musikern und
Pädagogen: Gitarre und Geige
für Kinder ab 7 Jahren.
10 € (Gruppe, 2 bis 4 Kinder)
18 € (Einzelunterricht)
Ricardo Berrini, Tel: 0172-124 67 54

B
**Neue Kurse ab Oktober für
Mädchen ab 12!**

Hallo Mädchen, habt Ihr Lust auf
Theaterspielen? Bei uns im Mädchen-
zentrum Bella Donna könnt Ihr es lernen.
Es kostet nichts! Wir üben in kleinen
Gruppen, mit professionellen Schau-
spielern und mit viel Spaß! Kommt zu
uns und bringt Eure Ideen mit!

Jeden Mittwoch und Freitag von
15 bis 18 Uhr.

Mehr Infos unter 089-47 86 92 72 22 oder
info@belladonna-theater.de

C
**Lesung für
Kinder in der
Stadtbibliothek
Neukölln**
20.9.
15 bis 17 Uhr

Zum Weltkindertag lesen wir Geschichten
über Kinder in der ganzen Welt.
Für Kinder ab 5 Jahren
Eintritt frei

D
Probleme in Englisch oder Französisch?

Studentin bietet Nachhilfe für alle
Klassen an! Einzeln oder in Klein-
gruppen, ab 9 €.

Am Abend oder am Wochenende.
Mehr Informationen unter 0332-35 97 32.

1 Hier können Kinder ein Musikinstrument spielen lernen.   _____
2 Ihr Kind hat Probleme im Englischunterricht? Hier bekommen Sie Hilfe.   _____
3 Hier können Kinder Geschichten lesen oder hören.   _____
4 Hier lernen Mädchen Theater spielen.   _____

2 Welcher Aushang aus 1 passt? Ordnen Sie zu. Für eine Aufgabe gibt es keine Lösung!

1 Luisa ist sechs und mag Bücher. Sie kann noch nicht gut lesen.   _____
2 Ali geht gern ins Kino und ins Theater. Er möchte Schauspieler werden.   _____
3 Joanna ist zwölf. Sie kann gut singen und mag Musik.   _____
4 Mark ist 14 und lernt seit zwei Jahren Französisch. Seine Tests sind oft schlecht.   _____

WORTSCHATZ

Aktivität die, -en
Bibliothek die, -en
Eintritt der, -e
 Eintritt frei
einzeln
Einzelunterricht der

Musikinstrument das, -e
 ein Musikinstrument spielen/lernen
Nachhilfe die
 Nachhilfe brauchen/bekommen

IM BERUF Einen Service anbieten

1 **Lesen Sie die Anzeigen und markieren Sie:** <u>Wer?</u>   <u>Was?</u>   <u>Wie teuer?</u>

A
Spanisch für Reise und Beruf
Spanierin gibt Unterricht für Anfänger und Fortgeschrittene.
Lernen mit Spaß für 18 € pro Stunde.
Gern auch bei Ihnen zu Hause.
Tel.: 0170 - 24 74 59 58

B   BABYSITTING | KINDERBETREUUNG
Hallo Eltern,
Lust auf Kino, Konzert oder Restaurant?
Ich, Studentin, 22, betreue Ihre Kinder für 12 € pro Stunde.
Sie haben wieder Zeit für Hobbys und Freunde.
Lina, Tel.: 0151- 66 43 95

2 **Markieren Sie in den Texten:** <u>Wer?</u>   <u>Was?</u>   <u>Wie teuer?</u>

A   Ich bin Irina aus Kiew. Ich bin Krankenschwester von Beruf, aber
im Moment habe ich keine Stelle. Da hatte ich eine Idee: Sie brauchen
Hilfe oder haben keine Zeit? Ich kann für Sie einkaufen. Sie können
mich anrufen und sagen: Ich brauche das oder das. Dann komme ich
und bringe alles zu Ihnen nach Hause. Ich möchte gern 12 € pro
Stunde verdienen. Brauchen Sie etwas? Meine Telefonnummer ist
0176 - 49 37 59 25.

B   Ich heiße Nino und komme aus Italien. Ich bin Journalist von
Beruf, aber jetzt lerne ich Deutsch. Ohne Arbeit ist es langweilig.
Ich streiche und renoviere gern Wohnungen und ich möchte ein
bisschen Geld verdienen. Ich hätte gern 18 € pro Stunde. Das ist
doch nicht teuer, oder? Möchten Sie vielleicht neue Farben in
Ihrer Wohnung? Dann komme ich gern zu Ihnen. Rufen Sie mich
an unter 0160 - 467 49 67. Ciao!

3 **Schreiben Sie Anzeigen.**

a   Ergänzen Sie die Anzeige von Irina (Text A).

Irinas Einkaufsservice

Brauchen Sie _____ oder haben Sie keine _____ ?
Ich _____ .
Preis: _____
_____ : 0176 - 49 37 59 25.

b   Schreiben Sie eine Anzeige für Nino (Text B).

c   Welchen Service können Sie anbieten?
Schreiben Sie eine Anzeige.

WORTSCHATZ

Service der, -s
   einen Service anbieten
verdienen, hat verdient
   Geld verdienen
   18 € pro Stunde verdienen

1 **Ergänzen Sie.**

Am 31.12. ist S I L V E S T E R .

Ü = UE, Ä = AE, Ö = OE

Er arbeitet am Montag [ ] 7:30 Uhr bis 16 Uhr.

An einer Universität kann man [ ] .

Hier kommt der Zug an: [ ] .

Nach dem Winter kommt der [ ] .

Juli, [ ] , September .

Die S-Bahn fährt jeden Tag. Sie fährt [ ] .

Der 1. Monat im Jahr heißt [ ] .

Die Zeitung ist nicht interessant, sie ist [ ] .

Kai ist erst zwei Monate alt. Er ist noch ein [ ] .

Bitte [ ] an der Bahnsteigkante!

Das Jahr hat 12 [ ] .

Peter hat viel gearbeitet. Jetzt macht er eine [ ] .

Heute ist Sonntag, [ ] war Samstag.

Silvi hat Geburtstag. Ich muss noch ein [ ] kaufen.

2 **Verkehr und Reisen**

a Markieren Sie noch zehn Wörter.

plur~~flugzeug~~inuntstraßenbahnonthaltestelleisibahnsteigoprubahnörbegepäckustenbus
plätzgleisreverflughafenbalkofferomtaxi

b Ergänzen Sie die Wörter aus a.

der ●	das ●	die ●
	Flugzeug	

3 **Was passt? Ordnen Sie zu und schreiben Sie.**

~~ein Geschenk~~ | die Zeitung | Deutsch | das Zimmer | Freunde | nach Madrid | ein Fest |
lesen | ~~bekommen~~ | aufräumen | einladen | fliegen | lernen | feiern

ein Geschenk bekommen,

WIEDERHOLUNGSSTATION: GRAMMATIK

1 **Notizen. Ordnen Sie zu und ergänzen Sie die Verben in der richtigen Form.**

fahren | denken | abholen | gefallen | mitbringen | ~~ankommen~~ | geben | kaufen | nehmen

a _Komme_ um 17.23 _an._ _____ du mich _____?

b Ich komme gern ☺ und _____ Carlos _____. Ist das o.k.?

c Die U-Bahn _____ nicht. Ich _____ den Bus. Komme etwas später. Sorry.

d Wie _____ dir die Schuhe? Schön, oder? Ich glaube, ich _____ sie. Was _____ du?

e Komme erst um acht. Es _____ ein Problem bei der Arbeit.

2 **Ergänzen Sie die Präpositionen.**

a

> **RESTAURANT SCHMIEDIGER**
> Wir haben neue Öffnungszeiten!
> _Ab_ 1.1. haben wir täglich
> _____ 11 Uhr
> _____ 24 Uhr geöffnet.

b

> _____ August machen wir Urlaub!
> _____ Montag, 2.9. sind wir wieder für Sie da.

c

> **Kosmetikstudio** *Isabel*
> **Liebe Kunden,**
> _____ **Januar sind wir täglich schon**
> _____ **9 Uhr für Sie da.**

3 **Im Chatroom**

Ergänzen Sie die Verben im Perfekt.

bob13: fernsehen | spielen | trinken | ~~anrufen~~ | gehen
trixi111: arbeiten | einkaufen | fahren | schreiben | aufräumen

> **bob13:** Warum _hast_ du gestern Abend nicht _angerufen_?
> **trixi111:** Ich _____ bis sieben Uhr _____ und dann bin ich nach Hause
> _____.
>
> **bob13:** Ach so!
> **trixi111:** Dann _____ ich Essen _____, mein Zimmer und die Küche
> _____ ☹ und E-Mails _____. Und du?
> **bob13:** Ich habe am Nachmittag Tennis _____ und _____.
> **trixi111:** Und am Abend? Was hast du gestern Abend gemacht?
> **bob13:** Da _____ ich mit Sophie in eine Kneipe _____ und
> wir haben ein Bier _____.
> **trixi111:** Aha! Wer ist denn Sophie?
> …
> **trixi111:** Hallo Bob, ich habe etwas gefragt!
> …

4 **Haben Sie …? / Sind Sie …? Ordnen Sie zu und schreiben Sie.**

Einrad fahren? | ~~Sushi kochen?~~ | in London Auto fahren? | eine Nacht am Bahnhof schlafen? | im Sommer Ski fahren? | im Winter in einem See schwimmen? | in einem Helikopter fliegen? | eine ganze Nacht bis zum nächsten Morgen feiern? | in den falschen Zug einsteigen?

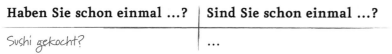

Haben Sie schon einmal …?	Sind Sie schon einmal …?
Sushi gekocht?	…

TRAINING: AUSSPRACHE

Wortakzent bei trennbaren Verben – Lektion **10** _____

▶1 79 **1 Hören Sie und markieren Sie den Wortakzent.**

f<u>a</u>hren – <u>a</u>bfahren | kommen – ankommen | kaufen – <u>ei</u>nkaufen | sehen – <u>fe</u>rnsehen | bringen – m<u>i</u>tbringen

▶1 80 **Hören Sie noch einmal und sprechen Sie nach.**

2 Richtig oder falsch? Kreuzen Sie an.

> **REGEL**
> Der Wortakzent ist bei trennbaren Verben auf dem trennbaren Wortteil.
> ◯ richtig   ◯ falsch

▶1 81 **3 Hören Sie.**
Sprechen Sie dann.

Ich nehme heut' den Zug.
Einsteigen
Aussteigen
Umsteigen
Vorsicht an Gleis sieben!

Ich nehme heut' den Zug.
Abfahren
Ankommen
Anrufen
Holst du mich bitte ab?

Satzakzent in Sätzen mit Perfekt – Lektion **11** _____

▶1 82 **1 Hören Sie und sprechen Sie nach.**

Am Abend
- ■ Was hast du heute <u>gemacht</u>? ↘
- ▲ <u>Heute</u>? ↗ Nicht <u>viel</u>. ↘ Ich habe <u>gelesen</u>. ↘
- ■ <u>Gelesen</u>? ↗ <u>Was</u> denn? ↗
- ▲ Ich habe ein <u>Buch</u> gelesen. ↘ Und ich habe <u>aufgeräumt</u>. ↘
- ■ <u>Aufgeräumt</u>? ↗ Das <u>Bad</u>? ↗
- ▲ <u>Nein</u>. ↘ <u>Nicht</u> das Bad. ↘ Ich habe die <u>Küche</u> aufgeräumt. ↘ Und ich habe ein bisschen <u>gelernt</u>. ↘
- ■ <u>Gelernt</u>? ↗ <u>Was</u> denn? ↗
- ▲ Ich habe natürlich <u>Deutsch</u> gelernt. ↘

2 Schreiben und sprechen Sie eigene Gespräche im Perfekt.

TRAINING: AUSSPRACHE

Vokalisches „r" – Lektion 12

▶ 1 83 **1 Was hören Sie? Kreuzen Sie an.**

	Gruppe „Straße" r wie „r"	Gruppe „Silvester" r wie „a"
Straße	○	○
Silvester	○	○
Freund	○	○
Reise	○	○
Erlebnis	○	○
Besucher	○	○
Ring	○	○
Bier	○	○
Restaurant	○	○

▶ 1 84 **Hören Sie noch einmal und sprechen Sie nach.**

▶ 1 85 **2 Hören Sie und sprechen Sie dann.**

Das deutsche Jahr

Frühling
März, April, Mai, Rock am Ring

Sommer
Juni, Juli, August, Geburtstagsparty

Herbst
September, Bier in München,
Oktober, November

Winter
Dezember, Neujahr, Januar,
Februar – Karneval

SELBSTEINSCHÄTZUNG Das kann ich!

Ich kann jetzt …

… Durchsagen verstehen: L10
Bitte V_____ an der Bahnsteigkante.
Nächster H_____: Innsbrucker Ring.

○ ○ ○

… am Bahnhof Informationen einholen: L10
▲ _____ fährt der Zug nach Essen ab? ■ Auf Gleis 10.
▲ _____ kommt der Zug in Hamburg an? ■ Um 12.48 Uhr.

○ ○ ○

… ein Telefonat beenden: L10
Gut, dann … / Also dann_____.
Bis morgen. / Bis _____.
Mach's gut! / _____.
Auf Wiedersehen! / T_____.

○ ○ ○

… über meinen Tag sprechen (gestern): L11
▲ _____ hast du _____ gemacht?
■ Ich habe _____
und _____.

○ ○ ○

… über Reisen sprechen: L12
Letztes Jahr war ich in _____.
Dieses Jahr fahre ich wieder nach _____.

○ ○ ○

… über Feste sprechen: L12
Letztes Jahr _____ ich beim Oktoberfest.
Das Oktoberfest _____ jedes Jahr im Herbst in München und _____
ungefähr zwei Wochen. Es _____ super. Ich
_____ viele nette Leute _____.

○ ○ ○

SELBSTEINSCHÄTZUNG *Das kann ich!*

Ich kenne ...   ● ○ ●
                                                                                                   ○ ○ ○
... 5 Verkehrsmittel: L10

Diese Verkehrsmittel nehme ich oft: _____

Diese Verkehrsmittel nehme ich fast nie / nie: _____

... 10 Alltagsaktivitäten: L11   ○ ○ ○

Diese Aktivitäten mache ich gern: _____

_____

Diese Aktivitäten mache ich nicht gern: _____

_____

... 12 Monate und die Jahreszeiten: L12   ○ ○ ○

Monate: _____

_____

Jahreszeiten: _____

_____

Ich kann auch ...

... Informationen einholen und geben (trennbare Verben + Satzklammer): L10   ○ ○ ○

(am Bahnhof abholen)

W-Frage: Wann _____ ?

Ja- / Nein-Frage: Holst _____ ?

Auskunft: Ja, ich _____ .

... einen Zeitraum angeben (temporale Präpositionen von ... bis, ab): L11   ○ ○ ○

▲ Wann hast du heute gearbeitet? ■ _____ 9.00 _____ 13.00 Uhr.

▲ Wann übst du Gitarre? ■ _____ 16.00 Uhr.

... über Vergangenes sprechen (Perfekt + Satzklammer): L11, L12   ○ ○ ○

(von 9–15 Uhr arbeiten)

Wann hast _____ ?

Ich habe gestern _____ .

(am Abend fernsehen)

Was _____ gemacht?

Ich _____ .

(nach München fliegen)

Wann _____ ?

Letztes Jahr _____ .

... Zeiten im Jahr angeben (temporale Präposition im): L12   ○ ○ ○

▲ Wann hast du Geburtstag? ■ _____ Sommer. / _____ Juni.

Üben/Wiederholen möchte ich noch ...

_____

GRAMMATIKÜBERSICHT

Nomen

Artikel im Singular und Plural	L06	
	Singular	**Plural**
• maskulin	der/ein/kein Schlüssel	die/-/keine Schlüssel
• neutral	das/ein/kein Formular	die/-/keine Formulare
• feminin	die/eine/keine Briefmarke	die/-/keine Briefmarken

Nomen: Singular und Plural	L06	
	Singular	**Plural**
-e/⸚e	der Stift der Schrank	die Stifte die Schränke
-(e)n	die Briefmarke die Rechnung	die Briefmarken die Rechnungen
-s	das Sofa	die Sofas
-er/⸚er	das Bild das Notizbuch	die Bilder die Notizbücher
-/⸚	der Kalender	die Kalender

Akkusativ nach *haben, brauchen, suchen, ...*	L06			
	definiter Artikel	**indefiniter Artikel**	**Negativartikel**	
• maskulin	Sie hat **den**	ein**en**	kein**en**	Schlüssel.
• neutral	das	ein	kein	Formular.
• feminin	die	eine	keine	Briefmarke.
• Plural	die	–	keine	Stifte.

Artikelwörter und Pronomen

Possessivartikel *mein/dein*	L03		
	maskulin	**feminin**	**Plural**
ich →	mein Bruder/Mann	meine Schwester/Frau	meine Eltern/Kinder
du →	dein Bruder/Mann	deine Schwester/Frau	deine Eltern/Kinder

definiter Artikel *der/das/die* und Personalpronomen *er/es/sie*	L04		
Nominativ / Singular	**definiter Artikel**		**Personalpronomen**
• maskulin	Der Tisch		Er
• neutral	Das Bett	ist schön.	Es	kostet 450 Euro.
• feminin	Die Lampe		Sie

indefiniter Artikel *ein/eine* und Negativartikel *kein/keine*	L05	
	indefiniter Artikel	**Negativartikel**
	Das ist ...	
• maskulin	ein Schlüssel	kein Schlüssel
• neutral	ein Buch	kein Buch
• feminin	eine Brille	keine Brille.

Verben

Konjugation Präsens: regelmäßige Verben   L01/02

	machen	arbeiten	heißen
ich	mache	arbeite	heiße
du	machst	arbeitest	heißt
er/sie	macht	arbeitet	heißt
wir	machen	arbeiten	heißen
ihr	macht	arbeitet	heißt
sie/Sie	machen	arbeiten	heißen
	auch so: kommen, wohnen, leben …		

Konjugation Präsens: besondere Verben   L01/02/09

	haben	sein	mögen	„möchte“
ich	habe	bin	mag	möchte
du	hast	bist	magst	möchtest
er/sie	hat	ist	mag	möchte
wir	haben	sind	mögen	möchten
ihr	habt	seid	mögt	möchtet
sie/Sie	haben	sind	mögen	möchten

Konjugation mit Vokalwechsel   L03

	sprechen
ich	spreche
du	sprichst
er/sie	spricht
wir	sprechen
ihr	sprecht
sie/Sie	sprechen

Modalverb *können*: Konjugation   L07

	können
ich	kann
du	kannst
er/sie	kann
wir	können
ihr	könnt
sie/Sie	können

trennbare Verben   L10

an┊rufen	→	Ich rufe dich an.
ein┊kaufen	→	Vielleicht kaufe ich noch was ein.

Perfekt mit *haben*   L11

			Perfekt		
		haben +	Partizip ...t	...en	
regelmäßig	machen	er/es/sie hat	gemacht		*auch so:* sagen – gesagt, arbeiten – gearbeitet, …
unregelmäßig	schreiben	er/es/sie hat		geschrieben	*auch so:* essen – gegessen, trinken – getrunken, …
trennbare Verben	auf┊räumen	er/es/sie hat	aufgeräumt		*auch so:* einkaufen – eingekauft, …
	an┊rufen	er/es/sie hat		angerufen	*auch so:* einladen – eingeladen, fernsehen – ferngesehen, …
Verben auf -ieren	telefonieren	er/es/sie hat	telefoniert		*auch so:* fotografieren – fotografiert, …

GRAMMATIKÜBERSICHT

Perfekt mit *sein* L12			Perfekt	
		sein +	**Partizip ...en**	
unregelmäßig	gehen	er/es/sie ist	gegangen	*auch so:* fliegen – geflogen, fahren – gefahren, kommen – gekommen, ...
trennbare Verben	an|kommen	er/es/sie ist	angekommen	*auch so:* einsteigen – eingestiegen, abfahren – abgefahren, ...

Präpositionen

Präposition *als, bei, in* L02	
als	Ich arbeite als Journalistin.
bei	Ich arbeite bei X-Media.
in	Ich lebe in Köln.

temporale Präpositionen *am, um* L08/11/12		
am L08	+ Wochentage/Tageszeiten	am Dienstag / am Abend ❗ in der Nacht
um L08	+ Uhrzeiten	um drei Uhr
von ... bis L11	Von 9 Uhr bis 10 Uhr ✗————————➤✗	Von 9 Uhr bis 10 Uhr.
ab L11	Ab 9 Uhr ✗————————➤	Ab 9 Uhr.
im L12	+ Monate/Jahreszeiten	im Oktober / im Herbst

Negation

nicht   L02
Wir leben nicht zusammen.
Sie wohnt nicht in Köln.

Sätze

W-Frage: *wer, wie, woher* L01		
	Position 2	
Wer	ist	das?
Wie	heißen	Sie?
Woher	kommst	du?

Aussage L01		
	Position 2	
Ich	heiße	Paco.
Ich	komme	aus Österreich.
Mein Name	ist	Valerie.

Ja-/Nein-Frage, W-Frage und Aussage L03			
Ja-/Nein-Frage		Ist	das deine Frau?
W-Frage	Wer	ist	das?
Aussage	Das	ist	meine Frau.

ja / nein / doch L03

Ist das deine Frau?	Ja, (das ist meine Frau).
	Nein, (das ist nicht meine Frau).
Das ist nicht deine Frau?	Doch, (das ist meine Frau).
	Nein, (das ist nicht meine Frau).

Modalverben: Satzklammer L07

Aussage	Du	kannst	wirklich super Gitarre	spielen.
Frage/Bitte		Kannst	du das noch einmal	sagen?

Verbposition im Satz L08

	Position 2	
Leider	habe	ich doch keine Zeit.
Ich	habe	leider doch keine Zeit.

„möchte" im Satz L09

Ich	möchte	etwas	essen.

trennbare Verben im Satz L10

Aussage	Vielleicht	kaufe	ich noch etwas	ein.
W-Frage	Wann	rufst	du mich	an?
Ja-/Nein-Frage		Rufst	du mich heute	an?

Perfekt im Satz L11

Aussage	Ab 9 Uhr	habe	ich	gearbeitet.
W-Frage	Was	hast	du sonst noch	gemacht?
Ja-/Nein-Frage		Hast	du Frau Dr. Weber	angerufen?

Wortbildung

–in L02

der Journalist	die Journalistin
der Arzt	die Ärztin

Nomen + Nomen L09

der Schokoladenkuchen	die Schokolade	+ der Kuchen
die Fischsuppe	der Fisch	+ die Suppe

LÖSUNGSSCHLÜSSEL TESTS

Lektion 1

1 Guten Morgen; Guten Abend; Gute Nacht; Auf Wiedersehen

2 Ich bin Max.; Und der Familienname?; Woher kommst du?; Aus Österreich.; Und wie geht es dir?; Sehr gut!

3 a heiße, kommst **b** heißen, kommen, komme **c** bist, bin **d** ist, kommt

4 a Es geht. Und dir? – Gut, danke. **b** Guten Morgen, Herr Bux, wie geht es Ihnen? – Nicht so gut. Und Ihnen? – Sehr gut, danke!

5 Hallo, ich heiße Oborowski. – Wie bitte? Obolanski?; Ich komme aus Italien, und du? – Aus der Türkei.; Sind Sie Frau Rode? – Nein, mein Name ist Koch.; Wie geht's? – Sehr gut. Und dir?

Lektion 2

1 b Wohnort **c** Herkunft **d** Alter **e** Familienstand **f** Beruf **g** Arbeitgeber

2 b 54 **c** 45 **d** 15 **e** 50

3 Kellnerin; Krankenschwester; Studentin; Mechatroniker

4 b Alina und Rainer, wo wohnt ihr? In München? – Ja, wir wohnen in München. **c** Wie alt sind Sie? 35? – Nein, ich bin nicht 35. **d** Wo arbeitest du? Bei Siemens? – Ja, ich arbeite bei Siemens. **e** Woher kommen Sinem und Selina? Aus der Schweiz? – Nein, sie kommen nicht aus der Schweiz.

5 a Bei EASY COMPUTER. **b** Aus Frankreich. **c** Ich mache eine Ausbildung als Friseurin. **d** Zwei, drei und fünf. **e** In Frankfurt.

Lektion 3

1 Eltern: Vater und **Mutter**; **Geschwister**: **Bruder** und Schwester; Kinder: Sohn und **Tochter**; **Großeltern**: Oma/ Opa und Großmutter/ **Großvater**; Enkelkinder: Enkel und **Enkelin**

2 b Welche Sprachen sprechen deine Kinder? **c** Ist das dein Vater? **d** Bist du verheiratet? **e** Wo wohnst du?

3 b Meine Kinder sprechen … **c** Ja, das ist mein Vater. **d** Nein, ich bin nicht verheiratet. **e** Ich wohne in Stuttgart.

4 mein; Meine; Deine; Dein

5 b Ja, ich spreche Spanisch. **c** Nein, ich bin nicht verheiratet. **d** Nein, Frau Duate ist nicht meine Lehrerin. **e** Doch, ich arbeite in Österreich.

Lektion 4

1 b 823 € **c** 3978 € **d** 884000 €

2 b Teppich **c** Lampe **d** Bett **e** Schrank

3 b hässlich **c** lang **d** teuer

4 b Die **c** Das **d** Der **e** Der

5 b er **c** Es **d** Sie **e** Er

6 a Kann ich Ihnen helfen? **b** Wie viel kostet **c** Das ist **d** Brauchen Sie **e** Sie kostet **f** Vielen Dank **g** zu teuer

Lektion 5

1 Farben: orange; Formen: eckig, rund; Gegenstände: Feuerzeug, Seife; Materialien: Kunststoff, Metall

2 b richtig **c** richtig **d** richtig **e** falsch **f** richtig

3 b eine **c** kein, ein **d** ein **e** keine, eine **f** ein

4 a wie heißt das **b** das ist **c** Wie bitte **d** wie schreibt man **e** Dank **f** Problem

Lektion 6

1 b Kalender **c** E-Mail **d** Rechnung **e** Termin **f** Büro

2 b die Briefmarke, die Briefmarken **c** der Stift, die Stifte **d** das Handy, die Handys **e** das Formular, die Formulare **f** der Drucker, die Drucker **g** der Termin, die Termine **h** der Kalender, die Kalender

3 a Der **b** einen **c** einen, einen **d** keinen, einen **e** der

4 a Guten Tag **b** Hier ist **c** Wo ist denn **d** Vielen Dank **e** Auf Wiederhören

Lektion 7

1 a tanzen, Freunde treffen **b** Fußball spielen, Rad fahren **c** lesen, fotografieren, backen

2 b oft **c** nie **d** sehr oft

3 b liest **c** Fährst **d** Können **e** Triffst

4 b Können wir ein bisschen Musik hören? **c** Er kann wirklich toll kochen **d** Könnt ihr Tennis spielen **e** Mein Freund kann leider nicht Ski fahren

5 a Herzlichen **b** danke **c** toll, Vielen **d** gut, sehr

Lektion 8

1 b Café **c** Kino **d** Museum **e** Disco

2 Die Woche hat 7 Tage. Sie heißen Montag, Dienstag, Mittwoch, Donnerstag, Freitag, Samstag, Sonntag.

3 a sieben Uhr fünfundvierzig, Morgen **b** zehn vor elf, zehn Uhr fünfzig **c** Viertel nach drei, fünfzehn Uhr fünfzehn, Nachmittag **d** fünf vor halb acht, neunzehn Uhr fünfundzwanzig, Abend **e** halb zwölf, Nacht

4 Heute Vormittag spielt Thomas Tennis. – Um 14 Uhr treffe ich Anna. – Am Abend gehen wir ins Kino. – Vielleicht können wir am Sonntag fahren?

5 b in **c** am **d** am, um

6 a Hast du am Freitag Zeit? **b** Leider kann ich nicht. **c** Und am Samstag? **d** Da habe ich Zeit. **e** Wann denn?

Lektion 9

1 a Sahne **b** Orangen, Äpfel und Zitronen **c** Ei **d** Braten **e** Suppe **f** Tee

2 b die Kartoffel, die Suppe, die Kartoffelsuppe **c** der Apfel, der Kuchen, der Apfelkuchen **d** der Schinken, das Brötchen, das Schinkenbrötchen

3 b Möchtet **c** mag **d** esse **e** Möchten

4 a Oh ja, bitte! **b** Danke, ebenfalls! **c** Nein, danke! **d** Ja, gern! **e** Nein, nicht so gern.

Lektion 10

1 a Straßenbahn **b** Flugzeug **c** Bahnsteig/Bahnhof **d** Haltestelle

2 a Koffer **b** Halt **c** Zug, Gleis **d** U-Bahn, Taxi

3 b Wann kommst du an? **c** Kannst du bitte am Hauptbahnhof aussteigen? **d** Ich hole dich ab. **e** Jetzt kaufe ich Brötchen ein, dann können wir zusammen frühstücken.

4 Nehmt ihr ein Taxi? – Nein, die U-Bahn.; Holst du mich ab? – Ich habe leider keine Zeit.; Wann kommt der Zug an? – Um 09:45 Uhr.; Wo steigst du um? – Am Rathausplatz.

Lektion 11

1 b die Hausaufgaben machen **c** Fahrrad fahren **d** Spanisch lernen **e** die Zeitung lesen **f** Freunde einladen **g** das Zimmer aufräumen

2 a Am Nachmittag habe ich Fußball gespielt. **b** Hast du Monika gesehen? – Wir haben viel gelacht. **c** Habt ihr heute Nachmittag eingekauft? – Nein, Anna hat Englisch gelernt und ich habe Hausaufgaben gemacht. **d** Was hast du zum Frühstück gegessen? – Müsli. Und ich habe einen Kaffee getrunken. **e** Was hast du heute gemacht? – Nicht viel. Ich habe bis 12 Uhr geschlafen. Gestern haben meine Freunde und ich lange gefeiert.

3 a Dann habe ich eingekauft. **b** Von 15 bis 17 Uhr habe ich Tennis gespielt. **c** Was hast du gemacht? **d** Am Vormittag habe ich mit Anna Deutsch gelernt. **e** Am Nachmittag habe ich gearbeitet.

Lektion 12

1 a 1 Januar 2 Februar 3 März 4 April 5 Mai 6 Juni 7 Juli 8 August 9 September 10 Oktober 11 November 12 Dezember **b** Frühling; Sommer; Herbst; Winter

2 b ist **c** sind **d** haben **e** haben **f** ist

3 b Im Juli sind wir nach Hamburg gefahren. **c** Der Zug ist um 12.30 Uhr abgefahren. **d** Marcel ist nach Amsterdam geflogen. **e** Ich bin mit Carla ins Kino gegangen.

4 SUNSAMMY: kommen, gibt, dauert, ist; nicky1980: getroffen/ kennengelernt, gehört.

QUELLENVERZEICHNIS

Cover: © Getty Images/Flickr/Marvin Fox 2012

Seite 6: Mitte © fotolia/contrastwerkstatt; unten A © fotolia/c; B © iStockphoto/sumnersgraphicsinc; C © fotolia/ Waldteufel; D © fotolia/Bergfee; E © PantherMedia/Matthew Trommer

Seite 7: oben © PantherMedia/James Steidl; unten von links © imago/ MIS; © SuperStock/Getty Images; © action press/ Rex Features; © picture-alliance/epa/ Justin Lane

Seite 9: oben© iStockphoto/bonniej; Fahnen © fotolia/createur

Seite 12: 1 © PantherMedia/Andres Rodriguez; 2 © iStockphoto/Viorika; 3 © PantherMedia/Dmitry Kalinovsky; 4 und 5 © irisblende.de; 6 © iStockphoto/DianaLundin

Seite 13: © fotolia/Meddy Popcorn

Seite 14: © fotolia/helix

Seite 15: von oben © iStockphoto/dlewis33; © PantherMedia/Yuri Arcurs; © Thinkstock/iStockphoto; © PantherMedia/ Runkersraith C.V. Schraml M.A

Seite 17: von oben © iStockphoto/toddmedia; © fotolia/Jonny; © iStockphoto/tunart; © fotolia/Albert Schleich; © iStockphoto/claudiaveja; © iStockphoto/ImageegamI; © PantherMedia/Andres Rodriguez ; © irisblende.de; © iStockphoto/DianaLundin; © iStockphoto/Viorika; © irisblende.de; © Thinkstock/iStock/Kai Chiang

Seite 18: © action press

Seite 19: von links © fotolia/Michael Kempf; © PantherMedia/Harald Hinze; © iStockphoto/boguslavovna; © iStockphoto/starfotograf

Seite 25: © Thinkstock/iStockphoto

Seite 27: Übung 2a oben von links © PantherMedia/Martin Kosa; © PantherMedia/Daniel Petzold; Mitte von links © iStockphoto/Jan Tyler; © iStockphoto/Daniel Laflor; unten von links © iStockphoto/Cindy Singleton; © fotolia/ Albert Schleich; © iStockphoto/Alina Solovyova-Vincent

Seite 28: von oben ©iStockphoto/sturti; © PantherMedia/Franck Camhi

Seite 34: Sofa © iStockphoto/jallfree

Seite 35: Tisch © Thinkstock/iStockphoto; Schrank © iStockphoto/terex; Bild © iStockphoto/Luso ; Stuhl © fotolia/ James Phelps Jr; Bett © iStockphoto/tiler84

Seite 37: von oben © iStockphoto/tiler84; © iStockphoto/Luso; © iStockphoto/twohumans; © iStockphoto/Carlos Alvarez; © iStockphoto/IlexImage; © iStockphoto/jallfree; © iStockphoto/simonkr; © iStockphoto/terex; © iStockphoto/sjlocke

Seite 38: Übung 1 von links © fotolia/Daniel Burch; © iStockphoto/deepblue4you; © fotolia/Taffi; © iStockphoto/ karandaev; © iStockphoto/eldadcarin; © fotolia/Klaus Eppele; © iStockphoto/Paula Connelly; © iStockphoto/phant; © iStockphoto/zentilia; © iStockphoto/DesignSensation; Übung 4 oben von links © iStockphoto/erlucho; © iStockphoto/billnoll; Mitte von links © iStockphoto/twohumans; © iStockphoto/jallfree ; unten © PantherMedia/ Werner Friedl; © fotolia/createur

Seite 40: von oben © iStockphoto/golovorez; © iStockphoto/jallfree; © fotolia/Kayros Studio; © iStockphoto/ AlbertSmirnov; © iStockphoto/Carlos Alvarez;

Seite 41: © PantherMedia/Franck Camhi

Seite 43: von oben © fotolia/Daniel Burch; © iStockphoto/deepblue4you; © fotolia/Taffi; © iStockphoto/karandaev; © iStockphoto/eldadcarin; © fotolia/Klaus Eppele; © iStockphoto/Paula Connelly; © iStockphoto/phant; © iStockphoto/zentilia; © iStockphoto/DesignSensation

Seite 44: oben von links © iStockphoto/lucato; © PantherMedia/Reiner Wuerz; © iStockphoto/raclro; unten von links © fotolia/Daniel Burch; © PantherMedia/Dietmar Stübing; © fotolia/Michael Möller; © iStockphoto/Viktorus

Seite 49: von oben © fotolia/Fatman73; © Hueber Verlag; © iStockphoto/milosluz; © fotolia/Timo Darco; © iStockphoto/raclro; © PantherMedia/Reiner Wuerz; © iStockphoto/dcbog; © fotolia/Michael Möller; © iStockphoto/ jaroon; © iStockphoto/lucato; © iStockphoto/nico_blue ; © iStockphoto/chas53; © fotolia/Michael Möller; © PantherMedia/Dietmar Stübing; © iStockphoto/Viktorus

Seite50: Übung 1 von oben © fotolia/terex ; © Thinkstock/iStock/horiyan; © iStockphoto/3dimentii; Übung 2 © Thinkstock/ iStockphoto; © Getty Images Creative; © dpa Picture-Alliance/moodboard

Seite51: Übung 1 © Thinkstock/Getty Images/Jupiterimages; Übung 2 © iStockphoto/jacomstephens; © iStockphoto/ MmeEmil; © fotolia/El Gaucho

Seite52: © Thinkstock/iStockphoto; © PantherMedia/Cathy Yeulet; © Thinkstock/Digital Vision/Ryan McVay

Seite 53: © iStockphoto/raclro

Seite 59: © iStockphoto/Alina Solovyova-Vincent

Seite 60: oben von links © fotolia/shoot4u; © Thinkstock/iStockphoto; unten von links © PantherMedia/Franck Camhi; © Thinkstock/Getty Images/Jupiterimages